Cáncer de mama

Cáncer de mama

José Manuel Pérez García
Eva Muñoz Couselo
Javier Cortés Castán

Amat
editorial

Autores: José Manuel Pérez García, Eva Muñoz Couselo, Javier Cortés Castán
Director de la colección: Emili Atmetlla

© Editorial Amat, 2013 (www.amateditorial.com)
    Profit Editorial I., S.L., Barcelona, 2013

ISBN: 978-84-9735-685-5
Depósito legal: B-995-2013

Diseño cubierta: XicArt
Maquetación: www.eximpre.com
Impreso por: Publidisa

Impreso en España - *Printed in Spain*

Índice

ÍNDICE

ÍNDICE

Introducción

El cáncer de mama es una enfermedad compleja, no solamente desde el punto de vista médico, sino también desde una esfera emocional. Todo esto implica que se generen múltiples dudas, que en la mayor parte de las ocasiones llevan a una preocupación absolutamente innecesaria.

Este libro pretende ser una herramienta útil, tanto para las pacientes como para sus familiares, y tiene como fin ayudar a entender la enfermedad en sí misma, su tratamiento y las repercusiones del mismo, utilizando en la medida de lo posible un lenguaje sencillo y lo suficientemente claro como para poder comprender todos los conceptos que en él se desarrollan.

La elaboración del manual ha sido guiada esencialmente en función de nuestra experiencia personal, incidiendo en aquellos aspectos que, a nuestro modo de ver, más interrogantes plantean entre las pacientes, y apoyándonos siempre en un estricto rigor médico.

Finalmente, nos gustaría insistir en que este libro no intenta ser en ningún momento un sustituto de cualquiera de los especialistas involucrados en esta enfermedad, sino simplemente, un apoyo en el "camino".

1. ¿Qué es el cáncer de mama?

¿Qué es el cáncer?

El cáncer es una entidad compleja y heterogénea que se compone de un amplio conjunto de enfermedades diferentes. A pesar de ello, todas comparten algunas características en común, destacando entre ellas, la pérdida del control del crecimiento celular.

Dentro de una célula, existen múltiples mecanismos que controlan el crecimiento celular y otros mecanismos antagónicos que lo promueven. En condiciones normales, hay un equilibrio entre ambos mecanismos y las células crecen de una forma controlada. Sin embargo, en los pacientes que desarrollan un cáncer, existe un desequilibrio a favor de los mecanismos que favorecen el crecimiento celular y las células comienzan a crecer de una forma descontrolada.

Además, las células malignas son habitualmente muy diferentes de las células de las cuales se originan y tienen la

11

capacidad de invadir a nivel local y también de producir metástasis a distancia, que consiste en una extensión de la célula tumoral a otros órganos diferentes. Por otro lado, los tumores benignos también se caracterizan porque las células crecen de una forma descontrolada. Sin embargo, las células de estos tumores son similares a las células de las cuales se originan, crecen más lentamente, tienen poca capacidad de invasión local y no producen metástasis a distancia.

Cuando en las células de la glándula mamaria existe una pérdida del control del crecimiento celular, comienza el desarrollo de un cáncer de mama. De forma contraria a lo que se podría imaginar, una célula normal de la mama no origina directamente un cáncer de mama, sino que va pasando secuencialmente por distintas etapas hasta que finalmente se transforma en un tumor maligno. El tiempo que tarda en generarse un cáncer de mama es variable, y dependerá principalmente de la agresividad de cada tumor.

Incidencia del cáncer de mama

El cáncer de mama es el tumor maligno más frecuente en las mujeres y en los últimos años su incidencia ha presentado una tendencia creciente, probablemente debido a múltiples factores entre los que destacan la implementación de los programas de cribado o *screening* poblacional y los cambios en los hábitos nutricionales y reproductivos. Un programa de cribado consiste en la realización periódica de una o varias exploraciones complementarias para la detección precoz de un cáncer. En el caso del cáncer de mama, la prueba principal es la mamografía.

La Sociedad Americana de Oncología estima que en los Estados Unidos (EE.UU.) se diagnosticaron durante el año 2012 más de 200.000 casos de cáncer de mama invasor y alrededor de 40.000 pacientes fallecieron a causa de esta enfermedad. En España se diagnosticaron durante 2011 unos 22.000 casos de cáncer de mama, lo que representa casi el 30% de todos los tumores del sexo femenino en nuestro país. La mayoría de los casos se diagnosticaron entre los 35 y los 80 años, con un pico máximo entre los 45 y los 65 años. No obstante, no disponemos de un sistema nacional de registro de tumores para conocer las cifras exactas de esta enfermedad.

Mortalidad por cáncer de mama

El cáncer de mama ha presentado de manera global una disminución en la mortalidad gracias al progresivo avance de los tratamientos oncológicos, al mejor conocimiento de la biología tumoral y, sobre todo, a la instauración de los programas de cribado o *screening*, los cuales permiten un diagnóstico más precoz de la enfermedad y, por tanto, un abordaje en etapas más iniciales de la misma, lo que favorece unos mayores índices de curación.

A nivel mundial, esta enfermedad representa la segunda causa de muerte por cáncer tras el cáncer de pulmón; a nivel europeo, la mortalidad por cáncer de mama representa el 8% de todos los tumores, es decir, 8 de cada 100 muertes producidas en Europa por una enfermedad oncológica son debidas al cáncer de mama; y en España, aproximadamente 6.000 mujeres fallecen cada año por cáncer de mama.

Anatomía de la mama

Las mamas son una pareja de órganos glandulares característicos de los mamíferos, cuya función principal es producir leche. Están compuestas fundamentalmente de grasa y tejido glandular, que consta básicamente de dos elementos sobre los cuales se origina el cáncer de mama (véase figura 1.1):

- Los *acinos* o *lóbulos glandulares*, donde se encuentran las células productoras de leche.

- Los *ductos* o *conductos*, que son las estructuras que comunican los lóbulos con los conductos galactóforos, que son dilataciones a modo de reservorios situados inmediatamente después del pezón. Estos ductos se encargan de llevar la leche desde los acinos glandulares hasta el pezón.

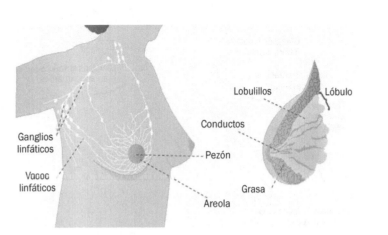

Lobulillos — Lóbulo

Conductos

Ganglios linfáticos

Vasos linfáticos

Pezón

Grasa

Areola

Figura 1.1. *Estructura de la glándula mamaria*

Desde un punto de vista anatómico, la mama se encuentra situada sobre el músculo pectoral mayor y está dividida en cuatro cuadrantes: supero-externo, supero-interno, ínfero-externo e ínfero-interno. En la parte central de la mama se encuentra el pezón que está situado en el centro de un área oscura llamada areola. Asimismo, la base del complejo areola-pezón está rodeada de fibras musculares que permiten la salida de la leche ante determinados estímulos.

Las mamas tienen un drenaje hacia los vasos linfáticos que desembocan en unos órganos pequeños y redondos denominados ganglios linfáticos. El drenaje linfático de las mamas se produce principalmente a los ganglios linfáticos axilares, aunque en ocasiones existe drenaje a los ganglios linfáticos localizados por debajo de la clavícula (infraclaviculares) o por encima de la clavícula (supraclaviculares), y más raramente a los ganglios linfáticos localizados entre la mama y el esternón (cadena mamaria interna) (véase figura 1.2).

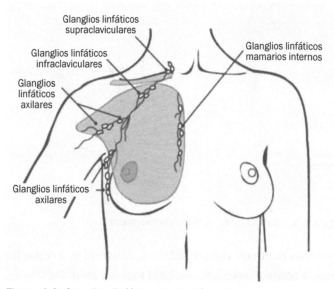

Figura 1.2. *Ganglios linfáticos de la glándula mamaria*

Evolución natural del cáncer de mama

Inicialmente, se creía que después de un período variable de crecimiento dentro de la mama, el tumor primario invadía los ganglios linfáticos regionales para, finalmente, extenderse por la sangre hasta otros órganos generando metástasis (teoría de Halsted). Sin embargo, hoy en día es bien conocido el hecho de que un cáncer de mama puede desarrollar metástasis sin que haya una afectación previa de los ganglios linfáticos regionales (teoría del spectrum de Hellman).

Los órganos más comúnmente afectados varían en función del subtipo de cáncer de mama. Así, mientras que los tumores con receptores hormonales (hormonosensibles) tienden a producir metástasis en hueso y partes blandas, los tumores que no son hormonosensibles, o tienen una proteína llamada HER2 intensamente expresada en la membrana, presentan más afinidad por órganos como hígado, pulmón o cerebro.

Puntos clave

- El cáncer se produce como consecuencia de un crecimiento descontrolado de las células.

- El cáncer de mama es el tumor maligno más frecuente en las mujeres y representa la segunda causa de muerte por cáncer tras el cáncer de pulmón.

- La incidencia del cáncer de mama está aumentando en los últimos años.

- El cáncer de mama ha presentado de manera global una disminución en la mortalidad.

2. Factores de riesgo

Alrededor de un 90-95% de los tumores de mama son espo-rádicos, y solamente un 5-10% de todos los casos tienen un componente hereditario asociado. A pesar de que la causa de los tumores de mama esporádicos es desconocida, se han descrito múltiples factores de riesgo que favorecen su desarrollo (véase tabla 2.1).

- Sexo femenino.
- Edad precoz de la primera menstruación.
- Edad tardía de la menopausia.
- Ciclos menstruales cortos.
- Edad tardía del primer embarazo.
- Ser nulípara.
- No dar lactancia materna.
- Anticonceptivos orales (controvertido).
- Terapia hormonal sustitutiva.
- Antecedentes personales de cáncer de mama.
- Hiperplasia epitelial atípica.
- Ingesta de bebidas alcohólicas y alimentos ricos en grasas.
- Obesidad.
- Radiación ionizante.
- Susceptibilidad genética.

Tabla 2.1. *Factores de riesgo para desarrollar un cáncer de mama*

Edad y sexo

Constituyen los factores de riesgo más importantes para el desarrollo de un cáncer de mama. Esta enfermedad es cien veces más frecuente en la mujer que en el hombre. Además, al igual que en otros procesos oncológicos, la incidencia del cáncer de mama incrementa con la edad hasta alcanzar la menopausia, donde se ralentiza debido a la disminución de los estrógenos circulantes que, como veremos posteriormente, son un tipo de hormona sexual femenina íntimamente relacionada con el desarrollo del cáncer de mama.

Factores hormonales

En la última década, varios estudios han evaluado la asociación entre los niveles de hormonas circulantes y el riesgo de desarrollar un cáncer de mama. Dentro de las hormonas sexuales femeninas, encontramos los estrógenos y los progestágenos.

El estradiol está considerado como el estrógeno biológicamente más activo. En la actualidad, está bien establecido que el riesgo de cáncer de mama aumenta con los niveles elevados de estrógenos. Asimismo, diversos estudios han demostrado una mayor asociación de unos niveles elevados de estrógenos con aquellos tumores que son hormonosensibles.

En cuanto a la progesterona, que constituye el principal progestágeno humano, los estudios son contradictorios. Por un lado, se cree que podría disminuir el riesgo de cáncer de mama al contrarrestar los efectos de estimulación mamaria por parte de los estrógenos pero, por otro lado, también podría ser un factor de riesgo de cáncer de mama al favorecer el crecimiento celular durante una fase del ciclo menstrual.

Finalmente, los andrógenos que, aunque representan la principal hormona sexual masculina, también se encuentran presentes en las mujeres y se han relacionado con un aumento del riesgo de cáncer de mama, ya sea de manera directa al favorecer el crecimiento de las células mamarias, o bien indirectamente por su transformación en estrógenos.

A continuación, enumeramos diferentes factores de riesgo de cáncer de mama que se han asociado a una mayor exposición hormonal, principalmente a los estrógenos.

Menarquia (edad de la primera menstruación)

Una edad temprana de aparición de la primera menstruación se ha asociado con un mayor riesgo de padecer un cáncer de mama. Así, hay varios estudios que demuestran una clara asociación entre la edad de aparición de la menarquia y el riesgo de desarrollar un cáncer de mama tanto en mujeres premenopáusicas como posmenopáusicas. Entre ellos destaca un estudio en el que se objetivó que cada año de retraso en la aparición de la menarquia se asociaba con una disminución del 9% de presentar un cáncer de mama en mujeres premenopáusicas, y del 4% en mujeres posmenopáusicas.

Características de los ciclos menstruales

Los ciclos menstruales cortos se han asociado a un aumento del riesgo de cáncer de mama, aunque no todos los estudios apoyan esta relación. Los ciclos cortos que ocurren entre los 20 y los 39 años de edad podrían asociarse a un aumento en el riesgo de desarrollar un cáncer de mama al incrementar el número de ciclos menstruales y favorecer, por tanto, una mayor exposición hormonal.

Paridad y edad del primer embarazo

Las mujeres nulíparas, es decir, que no tienen hijos, presentan un mayor riesgo de desarrollar un cáncer de mama con respecto a las mujeres que han tenido algún hijo. Asimismo, un intervalo más largo entre los embarazos y la mayor edad en el primer embarazo (especialmente por encima de los 35 años) se han correlacionado con un aumento en el riesgo de desarrollar un cáncer de mama.

Lactancia materna

La lactancia materna es un factor protector bien definido contra el cáncer de mama. Existen dos hipótesis para explicar dicho efecto: la mayor maduración mamaria que tiene lugar durante la lactancia; y el retraso que genera la lactancia en la recuperación de los ciclos menstruales tras el embarazo. No obstante, el verdadero mecanismo de protección asociado a la lactancia materna no está claramente definido.

Menopausia

Diferentes estudios han demostrado que en mujeres a las que se ha realizado una extirpación de ambos ovarios a edades inferiores a 45 años presentan un menor riesgo de padecer un cáncer de mama con respecto a aquellas que presentan una menopausia natural a partir de los 55 años de edad. De manera global, el riesgo de desarrollar un cáncer de mama aumenta un 3% por cada año de retraso en la aparición de la menopausia.

Hormonas sexuales exógenas

La asociación existente entre el uso de anticonceptivos orales y el riesgo de cáncer de mama es controvertida y ha sido valorada en numerosos estudios, los cuales han demostrado un aumento poco importante en el riesgo de desarrollar un cáncer de mama, principalmente en mujeres menores de 35 años y en aquellos casos de larga duración del tratamiento.

En cuanto al tratamiento hormonal sustitutivo utilizado en mujeres posmenopáusicas, los estudios son contradictorios. Así, algunos parecen mostrar una débil asociación entre este tratamiento y el riesgo de desarrollar un cáncer de mama, especialmente con la combinación de estrógenos y progestágenos con respecto al uso individual de estrógenos, y sobre todo en las mujeres que toman este tratamiento de forma prolongada. Por este motivo, se debe individualizar su uso y se recomienda siempre realizar un estricto control mamario en las mujeres que toman terapia hormonal sustitutiva.

Antecedentes personales de cáncer de mama

Cuando una mujer ha tenido un cáncer de mama, el riesgo de presentar un nuevo cáncer en la otra mama (contralateral) aumenta cinco veces más que en el resto de la población general. Así, el riesgo de desarrollar un cáncer contralateral es del 0,5-1% anual y se mantiene constante durante 20 años. A pesar de ello, es poco frecuente la realización de una extirpación preventiva de la mama contralateral, aunque esta decisión se puede evaluar de forma específica con cada paciente.

Enfermedades de la mama

Es importante remarcar que lesiones benignas típicamente observadas en la mama, como quistes mamarios y fibroadenomas, no condicionan un aumento del riesgo de cáncer de mama. Sin embargo, el crecimiento excesivo de las células mamarias (hiperplasia) sí incrementa el riesgo de desarrollarlo. Existen dos tipos de hiperplasia bien definidas, la típica y la atípica, y es la hiperplasia atípica la que verdaderamente aumenta el riesgo de cáncer de mama.

Factores dietéticos

Diversos factores nutricionales se han relacionado con un aumento del riesgo de desarrollar un cáncer de mama. De entre ellos, destaca la ingesta de alimentos ricos en grasas y de bebidas alcohólicas.

Los alimentos ricos en grasas favorecen la aparición de cáncer de mama en los estudios preclínicos realizados con ratas. Sin embargo, estos hallazgos no se han podido confirmar en estudios epidemiológicos realizados en humanos.

Por otro lado, el consumo de bebidas alcohólicas también se ha asociado con un mayor riesgo de desarrollar un cáncer de mama. El principal metabolito del alcohol, el acetaldehído, tiene un papel carcinógeno per se y puede también favorecer un aumento de los niveles de estrógenos. Asimismo, el consumo de tres o cuatro bebidas alcohólicas por semana en las pacientes que han padecido un cáncer de mama podría aumentar el riesgo de recaída (también denominada recurrencia o recidiva) de la enfermedad y disminuir la supervivencia en dichas pacientes, sobre todo en mujeres posmenopáusicas y con sobrepeso.

Finalmente, las dietas ricas en fibras y el aporte adecuado de vitaminas A, C, D, E y selenio podrían actuar como factores protectores, aunque estas asociaciones son controvertidas. Asimismo, la soja no ha demostrado en ningún estudio un incremento del riesgo de desarrollar un cáncer de mama, ni tampoco un aumento en la posibilidad de una recidiva en una paciente que lo haya presentado.

Obesidad

La obesidad es un factor de riesgo en la posmenopausia debido al aumento de los niveles de estradiol circulante como consecuencia de un incremento de la producción de estróge-

Factores de riesgo

nos a nivel de la grasa por medio de la aromatasa. Por el contrario, la obesidad es un factor protector en niñas y adolescentes porque interfiere en el ciclo menstrual, dando lugar a un mayor número de ciclos anovulatorios (ciclos en los que no se produce ovulación).

Ejercicio físico

No realizar ejercicio físico de manera habitual podría ser un factor de riesgo de cáncer de mama. En un estudio con 320 mujeres posmenopáusicas de entre 50 y 74 años sin enfermedades relevantes y sedentarias (menos de 90 minutos de ejercicio semanales), se escogieron de forma aleatoria 160 mujeres a las que hicieron practicar ejercicio físico bajo supervisión (como mínimo 45 minutos diarios durante cinco días a la semana). Las otras 160 mujeres siguieron con su vida habitual. Tras un año de seguimiento, se observó una reducción significativa de los niveles de estradiol en las mujeres que hicieron ejercicio físico supervisado, objetivándose así una interferencia con uno de los principales factores implicados en el desarrollo de un cáncer de mama.

Polución ambiental y radiación ionizante

La exposición continuada a productos químicos sintéticos se ha asociado en algunos estudios con un mayor riesgo de padecer un cáncer de mama. A su vez, el tabaquismo activo o pasivo, también se ha señalado como un posible factor de riesgo para el desarrollo de un cáncer de mama, aunque esta asociación es discutida.

Por último, la exposición previa a radiación ionizante es otro factor predisponente bien reconocido. La radiación ionizante es la radiación que procede de sustancias radioactivas o de los rayos X, de ahí que las personas que han sobrevivido a un accidente nuclear tengan más riesgo de desarrollar un cáncer de mama. La radiación produce alteraciones a nivel celular que progresan hasta convertirse en cáncer después de un periodo de latencia de varios años.

Susceptibilidad genética

La historia familiar de cáncer de mama es también un factor de riesgo bien establecido, aunque las alteraciones genéticas que favorecen el desarrollo de un cáncer de mama y que se transmiten a otros familiares son poco frecuentes. Por este motivo, es importante tener en cuenta que a pesar de que un cáncer se produce como consecuencia de múltiples alteraciones genéticas, en la mayor parte de los casos estas alteraciones son propias de los tumores de cada paciente y no son transmisibles a otros familiares.

El cáncer de mama hereditario también se presenta asociado a otros tumores en determinados síndromes, aunque lo más frecuente es el síndrome de cáncer de mama y ovario hereditario por una mutación en los genes BRCA1 o BRCA2. De ahí que sean estos dos genes los que se evalúan en una paciente cuando se realiza un estudio genético. Esta mutación hereditaria también predispone a desarrollar otros tumores como cáncer de páncreas y cáncer de próstata en el varón.

En la actualidad existen unas indicaciones bien establecidas a la hora de derivar una paciente a una consulta de alto riesgo y prevención del cáncer para realizar un estudio genético, entre las que se encontrarían:

- Cáncer de mama u ovario en una paciente menor de 35 años.
- Cáncer de mama en las dos mamas (bilateral) de la misma paciente, siendo uno de los tumores diagnosticado con menos de 50 años.
- Cáncer de mama en el varón.
- Cáncer de mama y ovario en la misma paciente.
- Dos o más casos de cáncer de mama y/u ovario en la misma línea familiar.

Los familiares de las pacientes en las que no se detecte una mutación en los genes BRCA1 o BRCA2, o que no cumplan criterios para ser derivadas a una consulta de alto riesgo, seguirán el programa de cribado poblacional habitual.

Por el contrario, si en una paciente se detecta una mutación en estos genes, se debería determinar si existe esta mutación en otros familiares sanos, ya que implicaría un seguimiento diferente al del resto de la población, lo cual se desarrollará más adelante en el libro.

Puntos clave

- La mayor parte de los cánceres de mama que se diagnostican son esporádicos.

- Existe una importante relación entre el desarrollo de un cáncer de mama y la exposición a estrógenos.

- Es importante evaluar la historia familiar de una paciente afecta de un cáncer de mama para descartar un componente hereditario asociado.

Factores de riesgo

3. Clasificación del cáncer de mama

Hay dos tipos principales de cáncer de mama, el no invasivo o in situ, y el invasivo, invasor o también denominado infiltrante, los cuales se describen a continuación:

Carcinomas in situ

Representan actualmente un 20% de los tumores de mama en el momento del diagnóstico y se encuentran confinados a los acinos o a los ductos sin invadir el tejido normal adyacente. Hay dos subtipos en función de su origen, el carcinoma lobulillar in situ y el carcinoma ductal in situ o intraductal.

El mal denominado carcinoma lobulillar in situ no es propiamente una lesión premaligna ni maligna, sino que es un marcador que identifica a mujeres con mayor riesgo de desarrollar un cáncer de mama invasor posteriormente. Por el contrario, el carcinoma ductal in situ es una lesión maligna que habitualmente evoluciona hasta convertirse en un carcinoma invasor.

31

El carcinoma ductal in situ es el más frecuente y suele diagnosticarse en mamografías de *screening*, siendo el hallazgo radiológico más común la aparición de microcalcificaciones (véase figura 3.1). Por otro lado, el carcinoma lobulillar in situ suele ser un hallazgo casual, bien en una pieza quirúrgica, o bien en una biopsia de mama, asociado o no a un carcinoma infiltrante.

Existe una forma especial de carcinoma ductal in situ denominada enfermedad de Paget del pezón, que consiste en la extensión de un carcinoma ductal in situ a través del mismo, y que se suele manifestar como un eccema del pezón.

Por último, resaltar que el carcinoma ductal in situ nunca produce metástasis a distancia ni afectación de los ganglios linfáticos. Por este motivo, el tratamiento jamás se basará en la administración de quimioterapia.

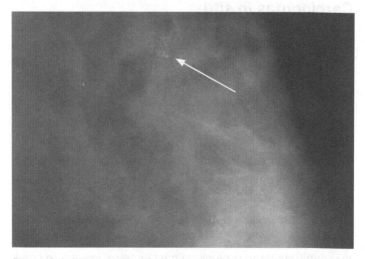

Figura 3.1. *Microcalcificaciones sospechosas en mamografía*

Carcinomas infiltrantes (invasores o invasivos)

Centrarán los contenidos de este libro, siendo los dos subtipos más importantes el carcinoma ductal infiltrante y el carcinoma lobulillar infiltrante.

El carcinoma ductal infiltrante es el más frecuente y representa el 70-80% del total de casos diagnosticados. Se origina a nivel de los ductos mamarios y, normalmente, se presenta como una masa palpable, o bien como una alteración en la mamografía. Radiológicamente, no hay ningún elemento que permita distinguirlo del resto de carcinomas invasores de la mama.

El carcinoma lobulillar infiltrante es el segundo subtipo más frecuente, constituyendo aproximadamente el 5-10% de todos los cánceres infiltrantes. Se origina a nivel de los lobulillos mamarios y se caracteriza por ser un tumor que puede tener varios focos en un mismo cuadrante (multifocal) o en distintos cuadrantes (multicéntrico), y por su tendencia a ser bilateral, es decir, que las dos mamas estén afectadas en el momento del diagnóstico. Asimismo, son tumores que son difíciles de detectar en las pruebas radiológicas, por lo que son diagnosticados en etapas avanzadas con mayor frecuencia que los carcinomas ductales infiltrantes.

Otras variantes de carcinomas infiltrantes menos frecuentes son: el carcinoma tubular, el carcinoma mucinoso o coloide, el carcinoma medular, el carcinoma cribiforme, el carcinoma papilar y el carcinoma metaplásico. Existen a su vez otros subtipos muy infrecuentes como son: el carcinoma endocrino, el carcinoma adenoide quístico, el carcinoma apocrino, el carcinoma neuroendocrino y el carcinoma secretor.

Puntos clave

- Dentro del cáncer de mama existen dos tipos fundamentales, el carcinoma in situ y el carcinoma invasor, infiltrante o invasivo.

- Cuando hablamos de un cáncer de mama, nos referimos habitualmente al carcinoma invasor.

- Los carcinomas in situ nunca se tratan con quimioterapia.

- El carcinoma ductal infiltrante es el subtipo más frecuente de cáncer de mama.

4. Factores pronósticos

Un factor pronóstico es aquel que nos informa de la historia natural de la enfermedad en ausencia de cualquier tratamiento, y que por lo tanto está reflejando la agresividad propia del tumor. Algunos de estos factores pronósticos también se comportan como un factor predictivo de respuesta o resistencia a un tratamiento específico. Existen diferentes factores pronósticos, que destacaremos a continuación:

Invasión ganglionar axilar

Ha sido clásicamente el factor pronóstico más importante a la hora de determinar la supervivencia y el riesgo de recaída en una paciente con cáncer de mama. Así, la invasión ganglionar axilar se correlaciona con un peor pronóstico de la enfermedad, sobre todo cuando existe un mayor número de ganglios afectados. Todo esto obliga a una correcta valoración de los mismos durante el acto quirúrgico, ya sea mediante la técnica de la biopsia selectiva del ganglio centinela, o bien mediante la realización de una linfadenectomía o disección ganglionar axilar, que se comentarán posteriormente en el libro.

Tamaño tumoral

Es considerado el segundo factor pronóstico más relevante después de la invasión ganglionar. Este hecho se ha evidenciado en diversos estudios, reportándose tasas de recurrencia a distancia a 5 años de en torno al 25% en tumores menores de dos centímetros, y de más del 50% en tumores de más de cinco centímetros.

Edad de la paciente

Es un importante factor pronóstico y varios estudios han objetivado un peor pronóstico en mujeres jóvenes, principalmente en aquellas menores de 35 años. El motivo parece estar relacionado con que estas mujeres tienden a presentar tumores más agresivos, aunque no es del todo cierta la creencia "popular" de que a mayor edad de la paciente, el cáncer de mama tenga que ser más indolente.

Tipo histológico

No hay diferencia entre los carcinomas ductales infiltrantes y los carcinomas lobulillares infiltrantes en cuanto al pronóstico. Sin embargo, hay subtipos tumorales que se asocian a una menor agresividad como el carcinoma tubular, el carcinoma cribiforme, el carcinoma mucinoso o coloide, el carcinoma papilar y el carcinoma adenoide quístico.

Grado histológico

Es un importante factor predictor de la evolución del cáncer de mama y representa la similitud del tejido tumoral con el tejido mamario normal. Se establecen tres grados diferentes según el método propuesto por Elston y Ellis: los tumores con grado histológico 1 son de bajo grado y tienen mejor pronóstico (se parecen mucho al tejido mamario normal), y los tumores con grado histológico 3 son de alto grado y están asociados a un peor pronóstico (tumores muy diferentes del tejido mamario normal).

Invasión linfovascular tumoral

La invasión linfovascular tumoral es un factor de peor pronóstico en aquellas pacientes que no presentan afectación ganglionar axilar, aunque algunos estudios han reportado resultados discordantes. Consiste en la invasión por el tumor de los vasos sanguíneos y linfáticos que están próximos a él.

Expresión de receptores hormonales

La mayor parte de los tumores de mama son hormonosensibles, es decir, que tienen receptores hormonales y que crecen en parte gracias al estímulo hormonal.

Factores
pronósticos

Los tumores que son hormonosensibles suelen ser bien diferenciados, se asocian habitualmente a una mejor supervivencia y presentan con menor frecuencia metástasis en órganos como hígado, pulmón o cerebro, prediciendo también el beneficio al tratamiento "hormonal".

Estatus de HER2

Se trata de un gen que produce una proteína que se detecta en el 15-20% de todas las pacientes afectadas por un cáncer de mama. Los tumores que tienen esta proteína, denominados HER2 positivos, se asocian a una mayor agresividad tumoral y a un peor pronóstico de la enfermedad.

Sin embargo, la introducción de fármacos que actúan contra esta proteína, como el trastuzumab (*Herceptin®*), ha mejorado de forma notable el pronóstico de este grupo de pacientes. De ahí que al igual que, los receptores hormonales, HER2 sea un factor pronóstico y predictivo en cáncer de mama.

Índice proliferativo Ki67

Es un marcador de proliferación que nos indica la rapidez del crecimiento de un tumor de mama. Por lo tanto, cuanto mayor sea el valor de este marcador, mas rápido crece el tumor, lo cual se asocia a un peor pronóstico.

Se considera que los tumores con un valor del Ki67 por debajo del 15% tienen una capacidad proliferativa baja, mientras que los tumores con un valor del Ki67 por encima del 30% son altamente proliferativos.

Subtipos moleculares de cáncer de mama

Recientemente, se ha desarrollado una nueva clasificación molecular del cáncer de mama, que no está basada en los factores histopatológicos clásicos descritos previamente, sino en el perfil de expresión genético del tumor. A partir de esta clasificación, se han definido varios subtipos con diferentes evoluciones y que ponen de manifiesto una evidente heterogeneidad del cáncer de mama.

Existen en la actualidad dos formas de evaluar el perfil de expresión genético del tumor, (*Mammaprint®* y *OncotypeDx®*.) Estas dos plataformas se están empezando a utilizar en la práctica clínica para intentar definir qué pacientes se benefician de recibir tratamiento con quimioterapia complementaria, aunque no indican cuál es el tipo de quimioterapia que se debe administrar, ni están correctamente validadas en ensayos clínicos bien diseñados. No obstante, es importante señalar que ambas plataformas se han desarrollado desde un punto de vista pronóstico.

Factores
pronósticos

Puntos clave

- La invasión ganglionar axilar y el tamaño tumoral son los factores pronósticos más importantes en una paciente con cáncer de mama.

- De un cáncer de mama siempre debemos conocer el tipo y el grado histológico, la expresión de receptores hormonales, el estatus de HER2 y el índice proliferativo Ki67.

- *Mammaprint®* y *OncotypeDx®* son dos plataformas genéticas pronósticas que pueden ayudar a seleccionar qué pacientes se benefician de recibir tratamiento con quimioterapia complementaria.

5. Manifestaciones clínicas

La clínica del cáncer de mama varía tanto en función de su extensión y localización a nivel de la mama, como de la presencia o no de metástasis a distancia.

Los cánceres de mama en sus etapas iniciales son generalmente asintomáticos y se detectan mayoritariamente por cambios en la mamografía y/o por la presencia de un tumor palpable en la mama.

Principales síntomas y signos locales

- *Bulto, nódulo o masa tumoral*: es el hallazgo más frecuente e importante y puede ser detectado por la paciente o por el médico. Suelen ser indoloros y aunque la mayoría de los nódulos no son malignos, todos deben ser correctamente evaluados. Un nódulo duro, que crece en el tiempo y que se encuentra adherido a la piel o está fijo, es altamente sospechoso de ser maligno. Por el contrario, un bulto blando, móvil, que no crece en el tiempo y que no está fijo suele ser benigno. Entre estos últimos destacan los quistes mamarios y los fibroadenomas.

Véase en la figura 5.1 las localizaciones de aparición más frecuentes del cáncer de mama.

En la figura 5.2 se describe el algoritmo para el estudio de un nódulo mamario sospechoso.

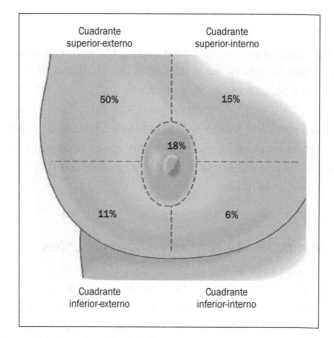

Figura 5.1. *Localización del cáncer de mama*

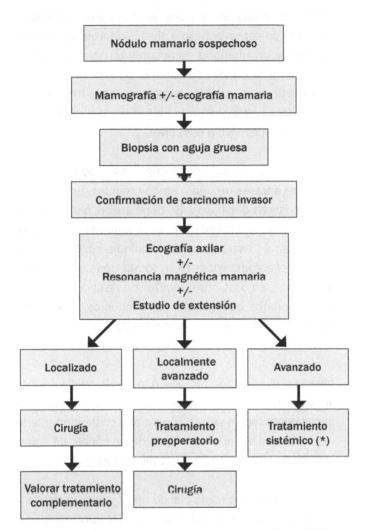

(*) Quimioterapia, tratamiento hormonal y/o tratamientos dirigidos
(+/-) Más pruebas adicionales no obligatorias

Figura 5.2. *Algoritmo para el estudio de un nódulo mamario sospechoso*

- *Palpación de un ganglio axilar:* en ocasiones, la paciente se puede palpar un ganglio a nivel de la axila, aun siendo la exploración mamaria estrictamente normal. Este hallazgo se debe tomar con cautela, puesto que todas las mujeres tienen normalmente ganglios en la axila. Asimismo, es fácil poder confundir un forúnculo o un quiste de grasa con un ganglio a este nivel.

- *Secreción por el pezón o telorragia:* es importante saber si ocurre a través de una o ambas mamas, así como las características del líquido. Se debe sospechar un cáncer de mama cuando la secreción se produce a través de una única mama y es de aspecto sanguinolento. En estas pacientes, el estudio consiste en tomar una citología de la secreción y, en ocasiones, realizar una galactografía, que es una prueba que estudia los conductos galactóforos por medio de la inyección de contraste y la realización simultánea de una mamografía.

- *Inversión o retracción del pezón:* a veces puede ser una variante de la normalidad, aunque en las pacientes que inicialmente tenían el pezón normal y posteriormente se retrae, puede ser el primer signo de un cáncer de mama y siempre debe ser evaluado (véase figura 5.3).

- *Cambios en la piel:* como piel de naranja, retracción de la piel u hoyuelos, signos inflamatorios o ulceración (véase figura 5.4). Siempre debe hacerse un diagnóstico diferencial con enfermedades cutáneas de la mama y, en este punto, debemos mencionar un subtipo poco frecuente pero muy agresivo de cáncer de mama que se denomina carcinoma inflamatorio, el cual se caracteriza por la afectación difusa de la piel de la mama con la aparición de signos inflamatorios, principalmente enrojecimiento, que abarcan al menos las dos terceras partes de la extensión de la mama (véase figura 5.5). El carcinoma inflamatorio debe distinguirse siempre de una infección de la mama o mastitis.

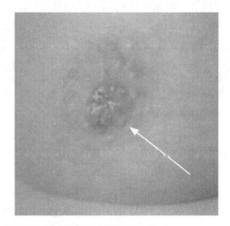

Figura 5.3. *Eccema y retracción del pezón*

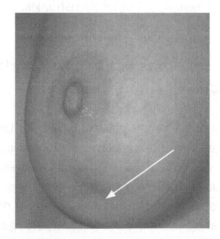

Figura 5.4. *Retracción de la piel*

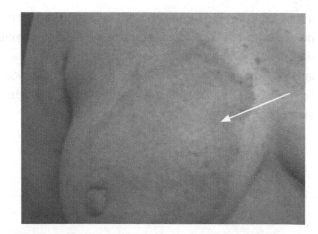

Figura 5.5. *Carcinoma inflamatorio*

- *Dolor en la mama o mastodinia:* sensación de pinchazo, tensión o incluso dolor franco. Es un síntoma poco frecuente en las pacientes diagnosticadas de un cáncer de mama, excepto en casos avanzados, y siempre debe diferenciarse del dolor mamario producido por otras causas como, por ejemplo, los ciclos menstruales.

Signos y síntomas cuando hay metástasis a distancia

- *Hueso:* el síntoma más frecuente es el dolor. Un dolor bien definido a nivel óseo, que aumenta progresivamente en el tiempo y que no cede con medicación analgésica, deberá ser evaluado de forma estricta. En ocasiones, los huesos afectados por metástasis se pueden romper de forma espontánea, provocándose una fractura patológica.

La afectación metastásica del hueso se estudia habitualmente mediante radiografías simples y gammagrafía ósea.

* *Hígado:* su afectación suele pasar desapercibida y lo más normal es que curse de forma asintomática o en forma de una alteración analítica. A veces, cuando la enfermedad hepática es muy extensa, puede aparecer dolor abdominal, picor o coloración amarillenta de la piel (ictericia).

La afectación metastásica del hígado se evalúa normalmente por medio de ecografía, tomografía axial computarizada (TAC o escáner) o resonancia magnética abdominal.

* *Pulmón:* el síntoma más habitual suele ser la tos que, habitualmente es seca, aunque en ocasiones puede ser productiva, es decir, que se acompaña de moco. Otros síntomas serían el dolor a nivel torácico, la dificultad para respirar (disnea) o la aparición de expectoración sanguinolenta (hemoptisis).

La tomografía axial computarizada es la prueba de elección para estudiar la afectación metastásica a nivel pulmonar.

* *Cerebro:* el síntoma más característico es el dolor de cabeza (cefalea). Dado que este síntoma es frecuente en condiciones más o menos normales, hay unos síntomas de alarma que siempre se deben tener en cuenta como son: que el dolor no ceda con medicación analgésica, que

Manifestaciones clínicas

se acompañe de náuseas o vómitos o que despierte a la paciente por la noche. Otras manifestaciones clínicas serían la aparición de una crisis epiléptica o convulsión, así como la alteración en la sensibilidad o pérdida de fuerza en alguna parte del cuerpo.

La tomografía axial computarizada, junto con la resonancia magnética craneal, constituyen las exploraciones recomendadas para descartar la presencia de metástasis a nivel del cerebro.

Puntos clave

• La palpación de un bulto en la mama, junto con la aparición de alteraciones en la mamografía, es la forma más frecuente de presentación de un cáncer de mama y siempre debe ser evaluado.

• Las alteraciones a nivel de la piel y/o el pezón pueden ser la primera manifestación de un cáncer de mama.

• El dolor mamario es un síntoma poco frecuente de cáncer de mama.

6. Diagnóstico

Gracias a la implementación de los programas de *screening* poblacional y a la mayor concienciación por parte de la población femenina de la importancia de la autoexploración mamaria, el cáncer de mama se diagnostica mayoritariamente en etapas iniciales.

Ante cualquiera de los síntomas o signos referidos previamente, es importante consultar con el médico especialista y llevar a cabo un adecuado estudio diagnóstico.

Es fundamental realizar, en primer lugar, una exploración física minuciosa, tanto de la mama como de los ganglios linfáticos regionales. En cuanto a las exploraciones complementarias, la primera prueba a realizar será generalmente una mamografía bilateral en la que tiene que especificarse el BI-RADS (*breast imaging reporting and data system*), que es un método que sirve para clasificar los hallazgos mamográficos (véase tabla 6.1). Los hallazgos radiológicos más frecuentes en la mamografía son la presencia de un tumor (véase figura 6.2) o de microcalcificaciones, las cuales no son siempre de naturaleza maligna. Según el resultado de la mamografía y los hallazgos en la exploración física, se podrá realizar adicionalmente una ecografía mamaria o una resonancia magnética mamaria. Es importante mencionar que ninguna de estas pruebas es superior a la otra, y que son exploraciones complementarias entre sí.

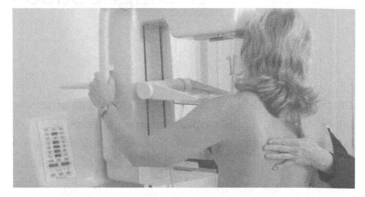

Figura 6.1. *Mujer realizándose una mamografía*

Clase	Definición
0	Se necesita una evaluación radiológica adicional porque no es posible ni confirmar ni descartar malignidad.
I	Mamografía negativa para malignidad. Se recomienda seguimiento a intervalos de tiempo normales.
II	Mamografía negativa para malignidad, pero con hallazgos benignos. Se recomienda seguimiento a intervalos de tiempo normales.
III	Mamografía con hallazgos probablemente benignos. Requiere nuevo control a los 6 meses.
IV	Mamografía con resultado dudoso de malignidad. Requiere una confirmación histopatológica.
V	Mamografía con alta sospecha de malignidad. Requiere una confirmación histopatológica.
VI	Malignidad comprobada mediante biopsia.

Tabla 6.1. *Definición del BI-RADS*

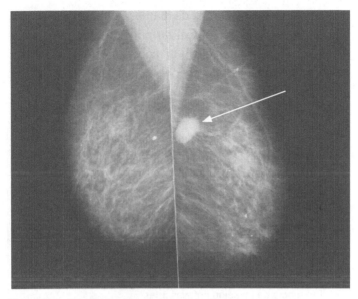

Figura 6.2. Nódulo mamario (mamografía)

Si en las pruebas de imagen existe sospecha de un tumor maligno de mama, se deberá llevar a cabo una biopsia que preferiblemente se realizará con aguja gruesa —con la que se abarca más tumor y se pueden analizar más características que con la aguja fina— para poder confirmar la naturaleza maligna del tumor y determinar todas sus características, las cuales nos ayudarán a definir el tratamiento más adecuado. Si el tumor es palpable, la biopsia se podrá realizar directamente, pero si el tumor no se toca se precisará una mamografía especial, una ecografía o una resonancia magnética mamaria para llevarla a cabo.

En la tabla 6.2 se recogen las características que siempre deben estar reflejadas en el informe de anatomía patológica de una paciente con cáncer de mama. Es importante insistir en que se recomienda no realizar punciones con aguja fina (PAAF), dado el mayor peligro de cometer errores diagnósticos y la imposibilidad de conocer todas las características del tumor.

1. Tipo de cáncer de mama (invasor o in situ).

2. Subtipo de cáncer de mama (ductal, lobulillar, etcétera).

3. Grado histológico.

4. Expresión del receptor de estrógeno.

5. Expresión del receptor de progesterona.

6. Estatus de HER2.

7. Índice proliferativo Ki67.

8. Presencia de invasión linfovascular.

Tabla 6.2. *Características que deben incluirse en el informe de anatomía patológica*

Tras la confirmación del diagnóstico, deberá valorarse si los ganglios linfáticos axilares están afectados y, en este caso, la prueba recomendada es una ecografía axilar. Si existe sospecha de afectación ganglionar, se deberá realizar una punción, que en este caso será con aguja fina, para confirmar esta sospecha.

Finalmente, se llevará a cabo un estudio de extensión para descartar la presencia de metástasis a distancia. Este estudio será más o menos complejo en función del tamaño tumoral y de si existe o no afectación ganglionar. En casos de tumores de gran tamaño o con muchos ganglios afectados, se suele realizar una tomografía axial computarizada a nivel torácico y abdominal y una gammagrafía ósea.

En ocasiones, también se puede realizar una tomografía por emisión de positrones (PET). Por último, suelen solicitarse de manera habitual los niveles de marcadores tumorales CEA y CA 15.3, aunque éstos deben ser interpretados con cautela, ya que la elevación de los mismos no implica el diagnóstico de un cáncer de mama, y el hecho de que sean normales no excluye tampoco el diagnóstico de un cáncer de mama.

Puntos clave

- La mamografía es la prueba de elección para diagnosticar un cáncer de mama.

- La ecografía axilar es la técnica recomendada para descartar la afectación ganglionar axilar.

- Ante la sospecha de un cáncer de mama, siempre debe realizarse una biopsia con aguja gruesa.

- Los marcadores tumorales son muy inespecificos.

Diagnóstico

7. Estadificación

El cáncer de mama se divide en etapas o estadios, siendo el sistema de estadificación TNM el más utilizado habitualmente para realizar su estadiaje. Este sistema se basa en el tamaño del tumor (T), la afectación o no de los ganglios linfáticos regionales (N) y la presencia o no de metástasis a distancia (M).

Sistema TNM

Veamos, a continuación, cómo se clasifica el cáncer de mama según el sistema TNM.

Tumor primario (T)

Tx: tumor primario que no puede ser demostrado por técnicas radiológicas.

T0: no evidencia de tumor primario.

Tis: carcinoma in situ.

T1: tumor menor de 2 centímetros de diámetro máximo.

    T1mi: microinvasión igual o inferior a 0,1 centímetros de diámetro máximo.

    T1a: tumor mayor de 0,1 pero igual o inferior a 0,5 centímetros de diámetro máximo.

    T1b: tumor mayor de 0,5 centímetros pero igual o inferior a 1 centímetro de diámetro máximo.

    T1c: tumor mayor de 1 centímetros pero igual o inferior a 2 centímetros de diámetro máximo.

T2: tumor mayor de 2 centímetros pero igual o inferior a 5 centímetros de diámetro máximo.

T3: tumor mayor de 5 centímetros de diámetro máximo.

T4: tumor de cualquier tamaño con:

    T4a: extensión a pared torácica, sin incluir músculo pectoral.

    T4b: edema (incluyendo piel de naranja), ulceración de la piel o nódulos satélites cutáneos confirmados en la misma mama.

    T4c: ambos, T4a + T4b.

    T4d: carcinoma inflamatorio.

Afectación ganglionar regional (N)

Nx: los ganglios regionales no pueden ser o no han sido evaluados.

N0: no hay afectación ganglionar.

N1: metástasis en los ganglios axilares ipsilaterales móviles.

N2: N2a: metástasis en los ganglios axilares ipsilaterales fijos o empastados.

N2b: metástasis clínicamente aparente en los ganglios ipsilaterales de la cadena mamaria interna en ausencia de ganglios axilares clínicamente evidentes.

N3: N3a: metástasis en los ganglios infraclaviculares ipsilaterales.

N3b: metástasis clínicamente aparente en los ganglios ipsilaterales de la cadena mamaria interna junto con ganglios axilares clínicamente evidentes.

N3c: metástasis en los ganglios supraclaviculares ipsilaterales.

Metástasis a distancia (M)

Mx: no pueden ser evaluadas.

M0: ausencia de metástasis a distancia.

M1: presencia de metástasis a distancia.

Estadiaje tumoral

Veamos ahora el estadiaje tumoral correspondiente en función de la clasificación TNM para el cáncer de mama.

Estadio 0

Tis N0 M0

Estadio I

T1 N0 M0 (incluye T1mi)

Estadio IIA

T0 N1 M0

T1 N1 M0 (incluye T1mi)

T2 N0 M0

Estadio IIB

T2 N1 M0

T3 N0 M0

Estadio IIIA

T0 N2 M0

T1 N2 M0 (incluye T1mi)

T2 N2 M0

T3 N1 M0

T3 N2 M0

Estadio IIIB

T4 N0 M0

T4 N1 M0

T4 N2 M0

Estadio IIIC

Cualquier T N3 M0

Estadio IV

Cualquier T, cualquier NM1

La estadificación del cáncer de mama es fundamental a la hora de diseñar el tratamiento y determinar el pronóstico de la paciente.

Así, a grandes rasgos, el cáncer de mama se dividirá en tres grandes grupos:

- Cáncer de mama localizado.
- Cáncer de mama localmente avanzado.
- Cáncer de mama avanzado o metastásico.

Finalmente, en la tabla 7.1, se observa la correlación existente entre el estadiaje tumoral y la supervivencia. Como puede observarse, el pronóstico empeora en los estadios avanzados con respecto a los estadios iniciales de la enfermedad.

Estadio tumoral	Supervivencia a 5 años
I	Superior al 85-90%
II	70-85%
III	30-70%
IV	10-20%

Tabla 7.1. *Supervivencia del cáncer de mama en función del estadiaje tumoral*

Puntos clave

- La estadificación de una paciente afecta de un cáncer de mama es crítica para seleccionar el mejor tratamiento y establecer el pronóstico.

- El sistema TNM es el más utilizado para realizar la estadificación de un cáncer de mama.

- El cáncer de mama se divide en cuatro estadios según el sistema TNM, aunque en la práctica habitual solemos clasificarlo de una forma más sencilla en localizado, localmente avanzado y metastásico.

8. Tratamiento quirúrgico

La cirugía, la radioterapia, el tratamiento hormonal u hormonoterapia, la quimioterapia y, más recientemente, los tratamientos dirigidos contra dianas moleculares, específicamente contra HER2, constituyen los pilares básicos del tratamiento del cáncer de mama en el momento actual. Dichas terapias se aplican en función de distintas variables como el estadiaje tumoral y las características histopatológicas del tumor.

La cirugía es el tratamiento de elección para las pacientes con cáncer de mama localizado o localmente avanzado. Existen dos tipos de cirugía: la cirugía conservadora de la mama (tumorectomía o cuadrantectomía, generalmente) y la cirugía radical de la mama o mastectomía. El objetivo, en ambos casos, es conseguir la extirpación completa del tumor con márgenes quirúrgicos negativos.

Cirugía conservadora

Consiste en la extirpación de una parte de la mama y se realizará siempre que no esté contraindicada, ya que varios estudios han demostrado que este tipo de cirugía seguida de tratamiento con radioterapia confiere el mismo pronóstico que la mastectomía (véase figura 8.1). Esto justifica que sea importante conocer las contraindicaciones absolutas para la realización de una cirugía conservadora:

1. Tumor multicéntrico.

2. Presencia de microcalcificaciones difusas.

3. Imposibilidad de conseguir un margen quirúrgico negativo.

4. Antecedente de radioterapia sobre la mama.

5. Carcinoma inflamatorio.

En ocasiones, cuando el tumor no es palpable, se puede llevar a cabo la cirugía conservadora guiada por ecografía o colocando un marcaje, principalmente un arpón, que permitirá localizarlo durante la intervención quirúrgica. Asimismo, se ha desarrollado una técnica que permite detectar el tumor mediante un contraste radioactivo. Esta técnica recibe el nombre de ROLL (*radioguided occult lesion localisation*).

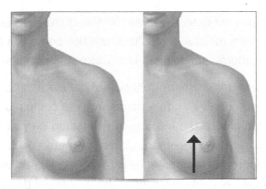

Figura 8.1. Cirugía conservadora de la mama

Mastectomía

Implica la extirpación de toda la glándula mamaria y del complejo areola-pezón. Se denomina mastectomía radical cuando la mastectomía se acompaña de la extirpación de los ganglios linfáticos axilares y mastectomía simple si no se realiza la disección ganglionar axilar (véase figura 8.2).

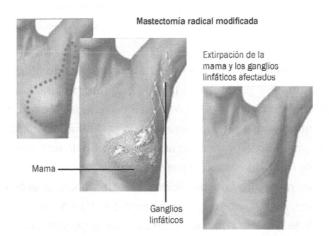

Mastectomía radical modificada

Extirpación de la mama y los ganglios linfáticos afectados

Mama

Ganglios linfáticos

Figura 8.2. Mastectomía radical modificada

En la actualidad existen nuevas técnicas quirúrgicas que pueden ayudar a mejorar el resultado estético como son la mastectomía ahorradora de piel y la mastectomía subcutánea.

En la *mastectomía ahorradora de piel* se lleva a cabo la extirpación de toda la glándula mamaria y del complejo areola-pezón, limitándose al máximo la extracción de piel, lo que facilita la posterior reconstrucción de la mama de la paciente. Es importante remarcar que esta técnica no está indicada para todas las pacientes afectas de un cáncer de mama, y será el cirujano oncológico el que finalmente acepte o descarte la indicación de esta técnica quirúrgica.

En la *mastectomía subcutánea* se lleva a cabo la extirpación casi total de la glándula mamaria, preservando la piel y el complejo areola-pezón. Este tipo de mastectomía se realiza habitualmente como medida preventiva para pacientes sanas que presentan una mutación en BRCA1 o BRCA2 y, por tanto, con alto riesgo de sufrir un cáncer de mama, o para pacientes intervenidas de un cáncer de mama sin una mutación en estos genes pero que, a pesar de ello, quieren evitar el riesgo de sufrir un cáncer en la otra mama.

Los tumores localmente avanzados, demasiado grandes para una cirugía conservadora de entrada, podrían beneficiarse de un tratamiento preoperatorio o neoadyuvante con hormonoterapia o quimioterapia que permitiría disminuir el tamaño tumoral evitándose así la realización de una mastectomía. Dado que estos tumores podrían llegar a no ser detectables mediante la exploración física tras finalizar el tratamiento preoperatorio, generalmente se coloca un clip de marcaje que ayudará a localizar durante la intervención quirúrgica la zona donde se encontraba inicialmente el tumor.

Conjuntamente con la cirugía de la mama, debe hacerse una valoración quirúrgica del estatus ganglionar axilar. Existen dos tipos de técnicas principalmente, la biopsia selectiva del ganglio centinela y la disección ganglionar o linfadenectomía axilar.

Biopsia selectiva del ganglio centinela

Se basa en el principio de que un tumor primario drena a través de una cadena ganglionar ascendente que surge de un ganglio o ganglios iniciales (glanglios centinelas) (véase figura 8.3). Se inyecta un contraste a nivel del tumor o alrededor del pezón, de forma ambulatoria y previamente a la intervención quirúrgica, llegándose a localizar el ganglio centinela en más del 90% de las pacientes.

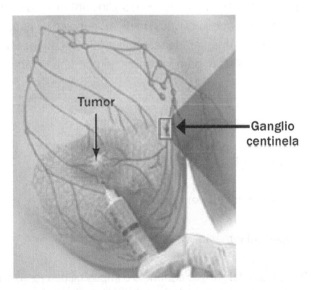

Figura 8.3. *Técnica de la biopsia selectiva del ganglio centinela*

Esta técnica se realiza cuando no hay evidencia clínica ni radiológica de afectación ganglionar axilar y preferentemente en tumores con un tamaño inferior a cinco centímetros. En caso de que el ganglio centinela fuera positivo, se debe proceder a la realización de una linfadenectomía axilar, aunque recientemente han aparecido estudios que demuestran que esta práctica podría no ser necesaria en todos los casos. Si el ganglio centinela fuera negativo, no se debe realizar la extirpación del resto de los ganglios axilares, sin que esto implique un peor pronóstico.

Disección ganglionar o linfadenectomía axilar

Consiste en la extirpación de los ganglios linfáticos axilares, considerándose que la extracción de al menos diez ganglios linfáticos define una linfadenectomía óptima. Las indicaciones actuales clásicas para la realización de una linfadenectomía comprenden:

1. Afectación ganglionar axilar confirmada.

2. Tumores multicéntricos.

3. Carcinoma inflamatorio.

4. Cirugía axilar previa.

5. Positividad del ganglio centinela o imposibilidad técnica de llevar a cabo la biopsia selectiva del ganglio centinela.

6. Ganglios clínicamente sospechosos detectados durante la cirugía.

Es importante señalar que estas indicaciones están en constante cambio y que, por ejemplo, se está empezando a emplear la técnica del ganglio centinela en tumores multicéntricos.

El hecho de realizar una correcta evaluación axilar y conocer exhaustivamente las indicaciones de la biopsia selectiva del ganglio centinela ha sido fundamental a la hora de evitar las múltiples complicaciones asociadas a la linfadenectomía axilar, entre las que destacan:

- Riesgos frecuentes y poco relevantes:

  1. Infección, sangrado o alteraciones en la cicatrización de la herida quirúrgica.

  2. Colección de líquido en la herida quirúrgica (seroma).

  3. Inflamación transitoria del brazo.

  4. Alteraciones en la sensibilidad o dolor alrededor de la zona de la operación.

- Riesgos relevantes y poco frecuentes:

  1. Desarrollo de un linfedema, que consiste en el acúmulo de líquido linfático en el brazo donde se ha realizado la linfadenectomía (véase figura 8.4). Se estima que una de cada cuatro mujeres presentará esta complicación, con una mayor o menor intensidad. El tiempo de aparición del linfedema es variable y puede ocurrir después

de semanas o años de la intervención quirúrgica, aunque suele aparecer durante el primer año en el 75% de las pacientes. Los síntomas relacionados con el linfedema varían según la severidad y van desde pesadez en el brazo hasta dolor, dificultad para la movilización y mayor riesgo de infección a nivel local.

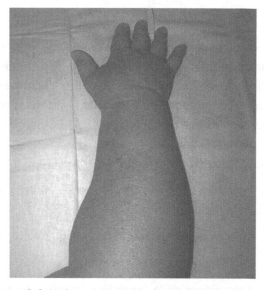

Figura 8.4. Linfedema secundario a linfadenectomía axilar

2. Dificultad para la movilidad del hombro y del brazo por la lesión de los nervios de la zona durante el acto quirúrgico.

Por ello, es muy importante que una paciente a la que se ha realizado una disección ganglionar axilar sea derivada tras la cirugía a una unidad de fisioterapia/rehabilitación donde se iniciará un programa de ejercicios específicos que ayudarán a prevenir el linfedema y mejorarán la movilidad del hombro y del brazo. En cuanto a las técnicas de rehabilitación, hay que resaltar que el drenaje linfático realizado correctamente por un profesional sanitario no está contraindicado en las pacientes operadas de un cáncer de mama.

Puntos clave

- La cirugía es el tratamiento de elección del cáncer de mama localizado.

- Siempre que sea posible, la cirugía conservadora es la opción más recomendada.

- La evaluación axilar es esencial en el tratamiento del cáncer de mama y se puede realizar mediante la biopsia selectiva del ganglio centinela o la disección ganglionar axilar.

- No se suele hacer de forma preventiva una extirpación de la mama sana en una paciente afecta de un cáncer de mama.

9. Tratamiento complementario del cáncer de mama localizado

Una vez completada de forma óptima la intervención quirúrgica, se valorará el tratamiento adyuvante, postoperatorio o complementario, basado en quimioterapia, hormonoterapia, terapias dirigidas contra HER2 y/o radioterapia.

Una pregunta habitual que formulan todas las pacientes es la necesidad o no de realizar un tratamiento complementario si ya se les ha extirpado todo el tumor. Para explicarlo de forma sencilla diremos que cada mujer operada de un cáncer de mama tiene un riesgo de recurrencia debido a que una célula tumoral ha podido quedar bien en la mama, o bien en otra parte del cuerpo, y sólo necesita tiempo para crecer y desarrollar un nuevo tumor en la mama o una metástasis.

El problema con el que nos encontramos es que las técnicas diagnósticas actuales no permiten detectar esta célula. Por esto, casi todas las pacientes recibirán un tratamiento complementario tras la cirugía, el cual tendrá como finalidad erradicar esa "hipotética" célula tumoral residual. La elección del tratamiento será individualizada y estará basada en el riesgo de recidiva que tenga cada paciente.

Quimioterapia adyuvante

El beneficio de la quimioterapia complementaria en cáncer de mama ha sido ampliamente demostrado en múltiples estudios. El objetivo de este tratamiento, al igual que el del resto de tratamientos que expondremos a continuación, es disminuir el riesgo de una recurrencia y aumentar de esta manera las posibilidades de curación.

La quimioterapia es un agente químico que elimina las células cancerosas. El problema de la quimioterapia es que también actúa contra las células sanas, de ahí que ocasione con frecuencia múltiples efectos adversos. Por ello, cuando se administra el tratamiento con quimioterapia siempre se tienen en cuenta los efectos secundarios del mismo y se estudia detenidamente el beneficio-riesgo de administrarlo. En la tabla 9.1 se recogen los efectos secundarios más frecuentes del tratamiento con antraciclinas y taxanos, que son los dos agentes más utilizados en las pacientes con cáncer de mama.

Tipo de quimioterapia	Efectos secundarios
Antraciclinas (administración habitual: cada 2 o 3 semanas)	• Alopecia o caída del cabello completa y reversible. • Náuseas/vómitos (relativamente frecuente). • Inflamación de mucosas (sequedad ocular, llagas en la boca, irritación nasal, etcétera). • Cambios en el ritmo deposicional (estreñimiento y/o diarreas). • Anemia que ocasiona cansancio. • Bajada de defensas (leucocitos) con el riesgo asociado de desarrollar infecciones. • Bajada de plaquetas con el riesgo asociado de hemorragias. • Toxicidad cardiaca. • Desarrollo de leucemias secundarias a largo plazo. • Alteraciones a nivel de las uñas. • Esterilidad. • Otros.
Taxanos (administración habitual: semanal o cada 3 semanas)	• Alopecia o caída del cabello completa y reversible. • Náuseas/vómitos (poco frecuente). • Reacciones alérgicas durante la administración. • Inflamación de mucosas (sequedad ocular, llagas en la boca, irritación nasal, etcétera). • Cambios en el ritmo deposicional (estreñimiento y/o diarreas). • Anemia que ocasiona cansancio. • Bajada de defensas (leucocitos) con el riesgo asociado de desarrollar infecciones. • Bajada de plaquetas con el riesgo asociado de hemorragias. • Neurotoxicidad por daño en los nervios. periféricos, con aparición de hormigueo y pérdida de sensibilidad en las manos y en los pies. • Alteraciones a nivel de las uñas. • Esterilidad. • Otros.

Tabla 9.1. Efectos secundarios del tratamiento con quimioterapia

La quimioterapia se administra en ciclos, de forma ambulatoria y, generalmente, por vía endovenosa a través del brazo. No se deberá administrar por el brazo en el que se haya realizado una linfadenectomía axilar, aunque normalmente sí se podrá administrar de forma segura por el brazo en el que se haya realizado una biopsia selectiva del ganglio centinela.

Por otro lado, existen diferentes variedades de quimioterapias orales que actualmente no suelen utilizarse en el tratamiento complementario del cáncer de mama, y que no están exentas de posibles efectos secundarios importantes.

En los últimos años está adquiriendo una gran relevancia el término de tratamientos dirigidos o "a la carta". Este término incluye tratamientos que en teoría actuarían exclusivamente sobre las células tumorales y no sobre las células sanas y, por tanto, producirían menos efectos secundarios. Sin embargo, a excepción de trastuzumab (*Herceptin®*), estos tratamientos están aún en fase de investigación y quedan reservados para pacientes en los que los tratamientos convencionales han dejado de ser efectivos. Asimismo, algunos de estos tratamientos pueden también provocar efectos secundarios similares a los que produce la quimioterapia convencional.

Antes de administrar el tratamiento con quimioterapia se solicitará una analítica general completa y, en el caso de que se administren antraciclinas, una prueba para valorar la función cardiaca, como una ecocardiografía o una ventriculografía isotópica. También es fundamental valorar el acceso venoso porque la quimioterapia es vesicante, es decir, daña las venas por donde se administra, por lo que es posible que sea necesaria la colocación de un catéter para administrar el tratamiento. Lo más habitual es la utilización de un *Port-a-Cath®*, coloquialmente llamado PAC (véase figura 9.1), que consiste en un catéter que se introduce debajo de la piel del tórax de la paciente y que va conectado a un tubo que termina en una vena central.

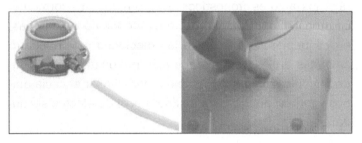

Figura 9.1. Port-a-Cath®

Por otro lado, existe la posibilidad de usar un PICC (*peripherally inserted central catheters*), que es un catéter que se coloca a través del brazo y que al igual que el *Port-a-Cath®*, termina en una vena central. La ventaja fundamental del PICC es que es más fácil de insertar y que se retira inmediatamente tras finalizar el tratamiento de quimioterapia; sin embargo, necesita un mantenimiento más constante.

A diferencia del PICC, el *Port-a-Cath®* es más complejo de colocar, aunque se pone con anestesia local y no se suele retirar hasta que hayan pasado al menos doce meses después de haber finalizado el tratamiento con quimioterapia. Sin embargo, precisa de un mantenimiento menos estricto.

En general, aunque con muchas excepciones, las pacientes con afectación ganglionar recibirán tratamiento con quimioterapia complementaria basada en antraciclinas y taxanos, mientras que la elección de tratamiento en las pacientes sin afectación ganglionar es más difícil (quimioterapia/no quimioterapia, sólo antraciclinas, sólo taxanos, combinación de antraciciclinas y taxanos) y dependerá de los factores pronósticos mencionados anteriormente. La duración del tratamiento va desde las doce semanas, en esquemas cortos, hasta las dieciocho o veinticuatro semanas en los tratamientos más prolongados, existiendo múltiples formas de combinar con similar eficacia ambos agentes, aunque con distinto perfil de efectos secundarios.

Finalmente, las pacientes con tumores HER2 positivos deberán recibir, junto al tratamiento de quimioterapia, un año de medicación con un anticuerpo llamado trastuzumab (*Herceptin®*). Dicha medicación se inicia durante el tratamiento con quimioterapia y suele tener pocos efectos secundarios, siendo los dos más relevantes, aunque poco frecuentes, la posibilidad de que ocurra una reacción alérgica o el desarrollo de toxicidad cardiaca.

Hormonoterapia adyuvante

Lo primero que hay que recalcar es que es un término "relativamente erróneo", ya que no se trata de dar hormonas a las pacientes, sino que consiste en todo lo contrario, es decir, es un tratamiento antihormonal.

Aproximadamente el 60-70% de las pacientes presentan tumores de mama con positividad para receptor de estrógeno y/o progesterona. Para este subgrupo de pacientes, la hormonoterapia es un tratamiento muy importante. Sin embargo, no se utilizará en las pacientes con tumores que no expresan receptores hormonales, dado que estas pacientes no se beneficiarían del tratamiento hormonal.

El tratamiento hormonal se puede administrar como única terapia en tumores de bajo riesgo, o en combinación con quimioterapia en aquellos tumores que presentan un mayor riesgo de recaída. Cuando se administre junto con quimioterapia, el tratamiento hormonal se iniciará tras finalizar la quimioterapia, ya que hay estudios que han demostrado que administrar ambos tratamientos a la vez podría aumentar los efectos secundarios y disminuir la eficacia del tratamiento.

A la hora de determinar el tratamiento hormonal es fundamental tener en cuenta si la paciente es premenopáusica o posmenopáusica. El grupo de mujeres posmenopáusicas lo integran las mujeres mayores de 60 años y las menores de 60 años que no han presentado menstruaciones durante al menos 12 meses.

En el campo de la hormonoterapia para el cáncer de mama existen dos grandes grupos de agentes: los antiestrógenos, con el tamoxifeno (*Nolvadex*®) como fármaco de referencia, y los inhibidores de la aromatasa, entre los que se encuentran letrozol (*Femara*®; *Loxifan*®), anastrozol (*Arimidex*®) y exemestano (*Aromasil*®).

El tamoxifeno (*Nolvadex®*) no suprime la función del ovario, es decir, no hace que el ovario deje de funcionar, sino que compite con los estrógenos a nivel de la célula tumoral impidiendo la unión entre ambos (para ejemplificarlo de forma sencilla, evita que la comida alimente al tumor). En cuanto a los inhibidores de la aromatasa, solamente se pueden administrar a mujeres posmenopáusicas e impiden la formación de estrógenos a nivel de la grasa a través de la aromatasa, haciendo a la mujer "más menopáusica" de lo que ya es. Por el contrario, si un inhibidor de la aromatasa se administrara a una mujer premenopáusica, estaríamos estimulando al ovario, lo cual sería una maniobra contraproducente en una paciente con un cáncer de mama hormonosensible.

En la actualidad, el tratamiento de elección en las pacientes premenopáusicas es el tamoxifeno (*Nolvadex®*) durante cinco años. En cambio, el tratamiento en mujeres post-menopáusicas se basa en los inhibidores de la aromatasa, bien durante cinco años como tratamiento único, bien tras completar dos o tres años de tratamiento con tamoxifeno (*Nolvadex®*) durante un total de cinco años, o bien tras cinco años de tamoxifeno (*Nolvadex®*) hasta completar un total de diez años de hormonoterapia. Las dosis recomendadas de estos tratamientos se encuentran en la tabla 9.2.

El tratamiento hormonal no está exento de efectos secundarios, que pueden conllevar, en algunos casos, un deterioro en la calidad de vida lo cual hace que las pacientes dejen

el tratamiento de forma prematura. Por ello, es muy importante concienciarlas de la importancia que tiene este tratamiento para evitar la recaída e incrementar la supervivencia. En la tabla 9.3 se resumen los efectos secundarios más relevantes del tamoxifeno (*Nolvadex®*) y de los inhibidores de la aromatasa. Sin embargo, el tratamiento hormonal tiene también una serie de ventajas colaterales, por ejemplo, la disminución de los niveles de colesterol y el aumento de la densidad mineral ósea en el caso del tamoxifeno (*Nolvadex®*).

* Tamoxifeno (*Nolvadex®*): 20 miligramos/día.
* Anastrozol (*Arimidex®*): 1 miligramo/día.
* Letrozol (*Femara®*; *Loxifan®*): 2,5 miligramos/día.
* Exemestano (*Aromasil®*): 25 miligramos/día.
* Raloxifeno (*Evista®*): 60 miligramos/día.
* Toremifeno (*Fareston®*): 60 miligramos/día.

Tabla 9.2. Dosis recomendadas del tratamiento hormonal

Producto	Efectos secundarios
Tamoxifeno (*Nolvadex®*)	**Graves pero poco frecuentes** • Riesgo de desarrollar un cáncer de útero. • Aumento del riesgo de desarrollar trombosis venosas. • Aumento del riesgo de desarrollar un infarto cerebral. • Aparición de cataratas. **Poco graves pero frecuentes** • Sofocos. • Náuseas y/o vómitos. • Secreción vaginal. • Retención hídrica. • Cansancio. • Dolor de cabeza.
Tamoxifeno (Nolvadex®)	• Crecimiento excesivo de vello siguiendo un patrón masculino de distribución (hirsutismo). • Alteraciones a nivel del ciclo menstrual. • Aumento de los niveles de triglicéridos. • Alteraciones en la memoria y en la capacidad de concentración.
Inhibidores de la aromatasa	• Dolores musculares y articulares. • Sofocos. • Rigidez articular. • Desarrollo de osteoporosis, que conlleva un incremento en el riesgo de fracturas. • Alopecia parcial. • Sequedad vaginal. • Cansancio. • Aumento de los niveles de colesterol. • Alteraciones en la memoria y en la capacidad de concentración. • Síndrome del túnel del carpo.

Tabla 9.3. Efectos secundarios del tratamiento hormonal

Radioterapia adyuvante

El objetivo de la radioterapia en el contexto adyuvante del cáncer de mama, extensamente evaluado en múltiples estudios, es disminuir la posibilidad de una recaída local.

Aunque existen varias modalidades de radioterapia, la radioterapia externa hiperfraccionada sigue siendo el tratamiento estándar en la actualidad. La duración del tratamiento suele ser de cinco semanas y, en ocasiones, se administran unas dosis extras en la zona donde estaba localizado el tumor (sobreimpresión, refuerzo o *boost*). Cada sesión dura unos pocos minutos y el tratamiento es diario, de lunes a viernes, descansando la paciente el sábado y el domingo.

Antes de empezar el tratamiento, hay una sesión preliminar más larga denominada sesión de simulación, en la cual se realiza el plan de tratamiento y se ponen unas marcas en la piel de la paciente que servirán de referencia para administrar la radioterapia posteriormente.

Otras técnicas de radioterapia que se están empezando a evaluar en estudios clínicos, pero que no se utilizan de forma rutinaria en la práctica clínica habitual, son: la radioterapia externa hipofraccionada (igual que la radioterapia externa hiperfraccionada pero administrada en menos tiempo y con dosis mayores por sesión), la irradiación parcial de la mama y la radioterapia intraoperatoria (se realiza durante la misma cirugía).

En este momento, las indicaciones para administrar radio-terapia adyuvante son:

- Tras mastectomía

    1. Tumores mayores de cinco centímetros de diámetro.

    2. Afectación ganglionar axilar de cuatro o más gan-glios.

    3. Existe controversia sobre el papel de la radioterapia en las pacientes que tienen entre uno y tres gan-glios linfáticos axilares afectos, por lo que debe in-dividualizarse su administración en este grupo de pacientes.

- Tras cirugía conservadora:

    Siempre se debe administrar radioterapia adyuvante y solamente podría omitirse en algunos casos, como en las pacientes de avanzada edad con tumores muy pequeños y hormonosensibles.

Los efectos secundarios a corto y largo plazo del tratamiento con radioterapia se encuentran resumidos en la tabla 9.4, destacando entre todos ellos, la epitelitis o radiodermitis (véase figura 9.2). En la tabla 9.5 se recogen las medidas más importantes para prevenir la radiodermitis.

Período de tiempo	Efectos secundarios
A corto plazo	• Epitelitis o radiodermitis (enrojecimiento de la piel). • Dolor mamario. • Picor en la piel. • Cansancio. • Inflamación del pericardio • Dificultad para tragar
A largo plazo	• Inflamación y fibrosis pulmonar. • Fibrosis cutánea, aumento de la pigmentación cutánea y aparición de arañas vasculares (telangiectasias). • Linfedema. • Toxicidad cardiaca • Fracturas costales. • Lesión de nervios periféricos • Desarrollo de segundos tumores

Tabla 9.4. Efectos secundarios de la radioterapia

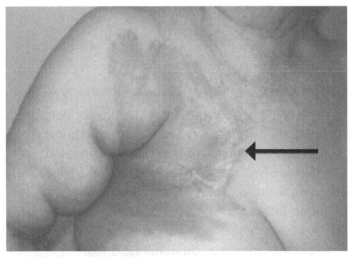

Figura 9.2. Radiodermitis de la mama

1. Mantener una higiene adecuada en la piel y pliegues cutáneos.
2. Proteger la piel de agresiones externas como el frío o la exposición solar.
3. Evitar las rozaduras en la zona.
4. Hidratar la piel con las cremas recomendadas.
5. No aplicar sobre la zona irradiada lociones que contengan alcohol ni yodo, ni otras cremas que no estén recomendadas por el médico o la enfermera.

Tabla 9.5. Medidas para la prevención de la radiodermitis

Como se puede observar, la lista de efectos adversos es amplia, y por este motivo se realizarán revisiones semanales por el oncólogo radioterapeuta y/o enfermera durante el tratamiento. A pesar de todo, es un tratamiento generalmente mucho mejor tolerado que la quimioterapia y que, en la mayor parte de los casos, permite a las pacientes volver progresivamente a su vida normal.

Puntos clave

- El tratamiento complementario del cáncer de mama se basa en quimioterapia, hormonoterapia, terapias dirigidas contra HER2 y/o radioterapia.
- El objetivo del tratamiento complementario del cáncer de mama es reducir la posibilidad de una recidiva y mejorar la supervivencia.
- Las indicaciones de cada tratamiento están bien establecidas y siempre se valoran beneficios-riesgos antes de administrarlos.

10. Tratamiento del cáncer de mama localmente avanzado

En estas pacientes, la cirugía sigue siendo el tratamiento de elección, aunque normalmente no se puede realizar de entrada por el gran tamaño del tumor o por la extensa afectación ganglionar. Por ello, el tratamiento preoperatorio o neoadyuvante con quimioterapia u hormonoterapia se ha convertido en una opción frecuentemente utilizada en esta situación clínica, cuyo objetivo es incrementar las opciones de una cirugía conservadora, así como posibilitar la cirugía de tumores que inicialmente no son operables, aunque esto no siempre es posible.

La combinación de quimioterapia basada en antraciclinas y taxanos, junto con trastuzumab (*Herceptin*®) en tumores HER2 positivos, es el tratamiento quimioterápico neoadyuvante más utilizado en la actualidad, y su tasa de respuesta clínica varía según el subtipo tumoral. Por otro lado, hoy en día no se suele utilizar la quimioterapia tipo "sándwich" (se administra el tratamiento repartido antes y después de la cirugía), por lo que las pacientes suelen realizar todo el tratamiento de quimioterapia antes de la intervención quirúrgica.

El tratamiento hormonal no se utiliza tan frecuentemente en esta situación clínica como la quimioterapia. Sin embargo, puede ser una alternativa válida a la quimioterapia en las pacientes posmenopáusicas con tumores localmente avanzados muy hormonosensibles, aunque hay menos evidencia de su uso en mujeres premenopáusicas.

El tratamiento con inhibidores de la aromatasa es superior al tamoxifeno (*Nolvadex*®) tanto en respuesta clínica como en facilitar una cirugía conservadora, por lo que el primero es considerado el tratamiento hormonal neoadyuvante de elección en la mayoría de las pacientes posmenopáusicas. La duración óptima del tratamiento es incierta, aunque varios estudios han demostrado que la máxima respuesta no siempre se alcanza tras cuatro meses de tratamiento como inicialmente se había reportado, y algunos autores recomiendan tratamientos de al menos un año de duración.

Como se ha mencionado anteriormente, se suele colocar un clip en el tumor de las pacientes que realizan tratamiento preoperatorio para poder localizarlo posteriormente durante la intervención quirúrgica.

Puntos clave

- En las pacientes con cáncer de mama localmente avanzado se suele realizar tratamiento con quimioterapia u hormonoterapia antes de la cirugía.

- Antes de iniciar el tratamiento es importante marcar el tumor con un clip para poder localizarlo posteriormente durante la intervención quirúrgica.

11. Tratamiento del cáncer de mama avanzado

En esta situación clínica la intención del tratamiento en la mayor parte de las paciéntes no es la curación sino prolongar la supervivencia con una buena calidad de vida. Dicho objetivo se está consiguiendo gracias al mejor conocimiento de la biología molecular del cáncer de mama y a la introducción de nuevos tratamientos.

En estas pacientes, la base del tratamiento es la hormonoterapia, la quimioterapia y/o los tratamientos dirigidos contra dianas moleculares, mientras que la cirugía y la radioterapia tienen un protagonismo secundario. Para definir el tratamiento más adecuado se deben tener en cuenta las siguientes consideraciones:

1. Tiempo que pasa entre el final de la quimioterapia y el momento de la recaída (tiempo libre de enfermedad).

2. Expresión de HER2 y receptores hormonales en el tumor.

3. Localización de la enfermedad metastásica.

4. Presencia o ausencia de síntomas en relación con la enfermedad.

El tratamiento hormonal es de elección para las pacientes que han estado libres de enfermedad durante un período de tiempo prolongado y que ahora cursan con enfermedad metastásica poco sintomática a nivel óseo o de partes blandas y cuyo tumor expresa receptores hormonales.

Existen en la actualidad diversas alternativas de tratamiento hormonal en el contexto de enfermedad avanzada. En las pacientes premenopáusicas, la combinación de tamoxifeno (*Nolvadex®*) y supresión ovárica, ya sea no farmacológica mediante la extirpación de los ovarios, o farmacológica, es el tratamiento de elección. Por el contrario, los inhibidores de la aromatasa se utilizan en mujeres posmenopáusicas al ser más eficaces que el tamoxifeno (*Nolvadex®*).

Se recomienda realizar tratamiento con quimioterapia a las pacientes que han estado libres de enfermedad durante un período de tiempo breve y que cursan con enfermedad metastásica muy sintomática a nivel hepático o pulmonar y cuyo tumor no expresa receptores hormonales.

La administración de quimioterapia puede ser como agente único o en combinación y existen múltiples agentes quimioterápicos activos, aunque generalmente se suele iniciar el tratamiento con antraciclinas y/o taxanos dependiendo de su utilización previa durante el tratamiento complementario. En general, la combinación de diferentes agentes se ha asociado a un mayor decrecimiento del tumor, sin observarse una mejoría en la supervivencia y a costa de un mayor número de efectos secundarios. Para las pacientes en las que el tratamiento con antraciclinas y/o taxanos ha dejado de ser efectivo, existen otros fármacos disponibles como la capecitabina, la gemcitabina, la eribulina y la vinorelbina.

Mejor conocimiento actual de la biología tumoral, se han desarrollado terapias dirigidas contra las células tumorales que bloquean su crecimiento. En el contexto del cáncer de mama avanzado, los tratamientos se han centrado en las terapias anti-HER2 como trastuzumab (*Herceptin®*) o lapatinib (*Tykerb®*), y en fármacos antiangiogénicos como bevacizumab (*Avastin®*), que bloquean el aporte de nutrientes al tumor al alterar la irrigación sanguínea del mismo. Ambos grupos de agentes son los únicos que a día de hoy se encuentran aprobados para su uso en la práctica clínica.

El papel de la cirugía es muy poco relevante en las pacientes con cáncer de mama metastásico y queda limitada a aquellas pacientes con lesiones metastásicas únicas u otras situaciones clínicas muy concretas. Asimismo, no existe ninguna evidencia para realizar un trasplante en esta indicación.

Finalmente, la radioterapia se utiliza en las pacientes con metástasis óseas para controlar el dolor, y en las pacientes con metástasis cerebrales. Además, en las pacientes que tienen metástasis óseas se suele administrar ácido zoledrónico (*Zometa®*) por vía endovenosa, cada tres o cuatro semanas, con el fin de disminuir las complicaciones asociadas a las mismas (véase figura 11.1).

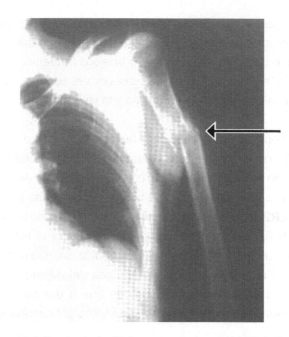

Figura 11.1. Fractura patológica secundaria a metástasis ósea

Puntos clave

- El objetivo del tratamiento en las pacientes con cáncer de mama avanzado es mejorar la calidad de vida y aumentar la supervivencia.

- La quimioterapia, la hormonoterapia y/o las terapias dirigidas son la base del tratamiento en esta situación clínica.

- Las metástasis de un cáncer de mama no suelen ser tributarias de cirugía.

12. Estudios clínicos

Los estudios o ensayos clínicos son un pilar esencial en los avances que se están consiguiendo en el tratamiento del cáncer. Así, todo fármaco que actualmente forma parte del tratamiento convencional o estándar de un determinado tumor ha pasado por varias fases de desarrollo antes de su comercialización final.

La mayor parte de centros de referencia tienen disponibles ensayos clínicos, por lo que es frecuente que durante el transcurso de la enfermedad se ofrezca participar a las pacientes en alguno de los estudios que se encuentren en marcha.

Lo primero que hay que decir es que la participación en un estudio clínico es totalmente voluntaria; lo segundo, que un ensayo clínico siempre busca el beneficio del paciente y no del investigador, y, lo tercero, es que participar en un estudio clínico no es sinónimo de hacer de "cobaya".

Dentro de los ensayos clínicos, existen cuatro fases bien definidas, cada una de las cuales se detalla a continuación:

Ensayo clínico fase I

Una vez que un fármaco es explorado en animales y/o estudios de laboratorio, se inicia su desarrollo en pacientes. Los ensayos clínicos fase I incluyen generalmente a pocos pacientes, con diferentes tipos de tumores, y tienen como objetivo principal determinar la dosis más segura del fármaco y evaluar los posibles efectos secundarios del mismo. En general, están reservados a pacientes en los que los tratamientos convencionales han dejado de ser efectivos.

Estos estudios son divididos en cohortes, que son grupos pequeños de pacientes, los cuales van recibiendo dosis progresivamente crecientes del tratamiento. En las primeras cohortes, la dosis del fármaco suele ser baja, por lo que es raro que aparezcan efectos secundarios, pero también es difícil encontrar actividad antitumoral. Sin embargo, en las cohortes más avanzadas la dosis es más alta y suelen aparecer efectos adversos, a expensas de poder conseguir actividad antitumoral.

Ensayo clínico fase II

En esta etapa se evalúa la efectividad y la toxicidad de un nuevo fármaco que ha pasado previamente la fase I, por lo que ya conocemos su dosis recomendada y sus efectos secundarios más probables.

A diferencia de los estudios clínicos fase I, se incluye un mayor número de pacientes, con un tipo específico de cáncer, y se utiliza siempre la misma dosis del tratamiento.

Ensayo clínico fase III

Cuando un nuevo fármaco demuestra ser efectivo en un estudio clínico fase II, se suele diseñar un ensayo clínico fase III en el que se valora si este tratamiento es mejor que el tratamiento estándar en una determinada indicación, por lo que necesario incluir muchísimos más pacientes.

En estos estudios, que incluyen muchos más pacientes, existe un grupo de referencia o control, que recibe el tratamiento convencional, y un grupo experimental, que recibe el nuevo tratamiento que se pone a prueba.

El paciente es asignado habitualmente al azar (aleatoriamente) a uno de los dos grupos, en un proceso que se denomina randomización. Asimismo, el ensayo clínico puede ser simple ciego, si el paciente no sabe en qué grupo está incluido, o doble ciego, cuando ni el paciente ni el médico conocen esta información.

Si el nuevo fármaco demuestra ser superior al tratamiento convencional en un ensayo clínico fase III, el siguiente paso es la aprobación por las agencias regulatorias y su utilización en la práctica clínica.

Estudios clínicos

Ensayo clínico fase IV

Es un estudio que no siempre se lleva a cabo y en el cual el investigador vigila la seguridad y la eficacia de un tratamiento que ya ha sido aprobado por las agencias regulatorias. También se le denomina estudio de farmacovigilancia.

Por tanto, como se puede observar, el proceso desde que un nuevo fármaco se empieza a utilizar en pacientes hasta que se convierte en un tratamiento estándar es largo y costoso. Por el camino van quedando muchos fármacos, bien por una toxicidad excesiva, o bien por una ausencia de eficacia. En la tabla 12.1 se recogen las características principales de cada una de las fases de los ensayos clínicos.

Fase	Objetivo	Número de pacientes	Tipo tumoral
I	Determinar la dosis recomendada y los efectos secundarios de un nuevo fármaco.	En torno a 50.	Cualquier tipo de tumor.
II	Evaluar la eficacia de un nuevo fármaco a una dosis establecida.	En torno a 100.	Mismo tipo de tumor.
III	Comparar un nuevo fármaco con el tratamiento estándar.	Más de 200.	Mismo tipo de tumor.
IV	Farmacovigilancia.	No hay un número determinado.	Mismo tipo de tumor.

Tabla 12.1. Características principales de las diferentes fases de los ensayos clínicos

Puntos clave

- Los estudios clínicos han sido y son fundamentales en los avances obtenidos en el tratamiento del cáncer.

- Hay cuatro fases dentro de los ensayos clínicos, cada una de las cuales tiene un objetivo diferente y bien determinado.

- El tiempo que tarda un fármaco en ser aprobado para una determinada indicación es largo y el proceso es costoso.

Estudios clínicos

13. Seguimiento

El seguimiento de las pacientes con cáncer de mama está bien establecido en la actualidad, tanto durante la fase de tratamiento complementario como en los controles periódicos que se iniciarán tras el mismo.

Durante el tratamiento con quimioterapia adyuvante, la paciente acudirá a visitas periódicas, las cuales se realizarán antes de cada ciclo de tratamiento. En estas visitas se realizará una analítica sencilla, habitualmente en el hospital de día, para evaluar el estado de la médula ósea [principalmente de los leucocitos (defensas)], se valorarán los efectos secundarios relacionados con el tratamiento y se llevará a cabo una exploración física de la paciente. Según el resultado de la analítica y los efectos secundarios asociados al tratamiento, se procederá a la administración o no del siguiente ciclo de quimioterapia.

Una vez finalizado el tratamiento con quimioterapia complementaria, la paciente iniciará controles periódicos. Así, durante los dos primeros años, en que el riesgo de recaída es más alto, la paciente acudirá a consultas cada tres meses.

Seguimiento

Entre el tercer y el quinto año, la paciente acudirá a visita cada seis meses y finalmente, a partir del quinto año, se realizarán visitas anuales. Es importante remarcar que esta periodicidad se puede individualizar según cada paciente, y en múltiples ocasiones se modifica el período de seguimiento con respecto a lo establecido inicialmente.

En cada visita se hará un interrogatorio a la paciente para evaluar síntomas atribuibles bien a la enfermedad o bien al tratamiento de la misma, y se llevará a cabo una exploración física completa.

En cuanto a las exploraciones complementarias que se suelen solicitar durante el seguimiento, habría que destacar:

1. Analítica general en cada visita, en la que se incluyen marcadores tumorales.

2. Mamografía anual.

3. Radiografía de tórax anual.

4. Ecografía transvaginal anual en las pacientes que reciben tratamiento hormonal con tamoxifeno (*Nolvadex®*), para el control del engrosamiento del útero (endometrio) que produce este fármaco.

5. Densitometría ósea anual o cada dos años en las pacientes que reciben tratamiento hormonal con inhibidores de la aromatasa, para el control de la pérdida de densidad mineral ósea (osteoporosis) que favorecen estos agentes.

Según los síntomas de la paciente y el resultado de la exploración física y de las pruebas mencionadas anteriormente, se podrían realizar otras exploraciones complementarias adicionales como son una ecografía mamaria o una resonancia magnética mamaria, una tomografía axial computarizada del tórax, abdomen o cerebro, una gammagrafía ósea o una tomografía por emisión de positrones.

A muchas pacientes les surgen dudas al observar la simplicidad de los controles. Sin embargo, ningún estudio ha demostrado un mejor pronóstico por solicitar exploraciones complementarias más complejas durante el período de seguimiento de una paciente afecta de un cáncer de mama. Incluso, las guías de la *National Comprehensive Cancer Network* (NCCN) no recomiendan la determinación de los marcadores tumorales, aunque la mayor parte de oncólogos médicos los solicitan de forma rutinaria.

No existe ninguna recomendación fija para el seguimiento de las pacientes con cáncer de mama avanzado, el cual se realizará de forma individualizada según la situación clínica y el tratamiento que esté recibiendo la paciente.

Seguimiento

Puntos clave

• El seguimiento de las pacientes operadas de un cáncer de mama está bien establecido.

• La exploración física, el interrogatorio a las pacientes y la realización de una mamografía anual constituyen las bases del seguimiento.

• La densitometría ósea y la ecografía transvaginal son dos exploraciones importantes en las pacientes tratadas con inhibidores de la aromatasa y el tamoxifeno (*Nolvadex*®), respectivamente.

14. Cuidados y recomendaciones para vivir con la enfermedad

En este apartado desarrollaremos los puntos que se detallan a continuación:

* Técnicas de preservación de la fertilidad.
* Técnicas de reconstrucción mamaria.
* Tratamiento de los síntomas asociados al tratamiento hormonal.
* Ayuda psicológica.

Técnicas de preservación de la fertilidad

Como expusimos previamente, las dos quimioterapias más frecuentemente utilizadas en las pacientes con cáncer de mama se asocian a esterilidad. Sin embargo, no todas las pacientes que reciben tratamiento con quimioterapia la ter-

Cuidados y recomendaciones

minarán desarrollando. Lo habitual es que durante el tratamiento oncológico se produzca una menopausia inducida por la quimioterapia, con aparición de los síntomas típicos de la misma, sobre todo los sofocos. Una vez se finaliza la quimioterapia, la paciente puede o no recuperar de nuevo la función ovárica. Las pacientes más jóvenes (principalmente las que tienen menos de 35 años) y las que reciben esquemas de tratamiento más cortos son las que habitualmente la recuperan.

Por ello, es fundamental evaluar el deseo reproductivo que tiene la paciente antes de iniciar el tratamiento oncológico y poder plantear una técnica de preservación de la fertilidad. Las dos técnicas más utilizadas en la actualidad son:

• Vitrificación de ovocitos

La vitrificación es un proceso de congelación ultrarrápida que permite una excelente conservación de los ovocitos sin dañarlos. Para la extracción de los ovocitos se siguen los mismos pasos que en una fecundación in vitro, es decir, primero la estimulación del ovario y, posteriormente, la aspiración de los ovocitos. Estos ovocitos quedan vitrificados y almacenados sin que exista una limitación de tiempo para poder utilizarlos.

Una vez que se finaliza el tratamiento oncológico, y siempre bajo la supervisión del oncólogo médico, se realizaría la inseminación de los ovocitos y se procedería a la implantación de los embriones resultantes en el útero de la paciente.

La principal desventaja de esta técnica es que precisa de estimulación ovárica y, por lo tanto, se debe realizar en función del momento del ciclo menstrual. Asimismo, realizar una estimulación ovárica a una paciente con un cáncer de mama hormonosensible podría parecer una temeridad, aunque en la actualidad existen protocolos de estimulación ovárica en los que se alcanzan niveles hormonales bajos y que, por lo tanto, no entrañan un riesgo para la paciente.

• **Extracción de cuña de tejido ovárico**

Se trata de obtener pequeños fragmentos de la corteza ovárica, que es la capa más externa del ovario donde se encuentran los óvulos, y posteriormente congelarlos para asegurar su conservación (véase tabla 14.1). El procedimiento se realiza habitualmente por medio de cirugía laparoscópica mínimamente invasiva, lo que permite una estancia hospitalaria corta.

La ventaja de esta técnica es que no requiere estimulación ovárica, pudiéndose realizar inmediatamente y en cualquier momento del ciclo menstrual, por lo que sería el método de elección en aquellas situaciones en las que se requiere iniciar rápidamente el tratamiento oncológico, o en los casos en los que estuviese contraindicada la estimulación ovárica.

Una vez que finaliza el tratamiento oncológico, y siempre bajo la supervisión del oncólogo médico, se realizará una nueva laparoscopia en la que se reimplantará el fragmento de la corteza ovárica extraído en el ovario, restableciéndose de esta manera la función ovárica y pudiéndose lograr embarazos posteriormente.

Cuidados y
recomendaciones

1. **EXTRACCIÓN OVÁRICA.** A través de laparoscopia se extraen piezas (5 a 12) de la corteza del ovario.
2. **CONGELACIÓN DEL TEJIDO.** El tejido extraído se congela mediante crioconservación, por lo que se puede conservar durante años.
3. **TRATAMIENTO ONCOLÓGICO.** La paciente recibe quimioterapia, lo que provoca esterilidad.
4. **IMPLANTACIÓN DEL TEJIDO EXTRAÍDO.** Cuando la enfermedad remite, se implanta de nuevo el tejido en el ovario. Cada lámina trasplantada reanuda la producción de óvulos.
5. **FECUNDACIÓN IN VITRO.** Si se consigue implantar el embrión en el útero, nacerá un bebé.

Tabla 14.1. Fases de la técnica de la preservación de la fertilidad por medio de extracción de la cuña ovárica

Técnicas de reconstrucción mamaria

El cáncer de mama es una enfermedad que tiene un importante impacto físico y también emocional. Por ello, a los efectos secundarios asociados al tratamiento, se añade la repercusión sobre el estado anímico que ocasiona la caída del cabello o la extirpación de la mama. Esto ha propiciado que en la actualidad haya habido un importante avance en las técnicas de reconstrucción mamaria.

La reconstrucción mamaria se suele realizar de forma diferida, es decir, un tiempo después de que se haya llevado a cabo la extirpación del cáncer de mama. Sin embargo, en casos muy seleccionados, se puede llevar a cabo una reconstrucción inmediata, sobre todo en las pacientes que no tendrán que recibir radioterapia complementaria.

Las distintas técnicas se pueden agrupar en dos grandes grupos:

• **Técnicas que utilizan implantes mamarios**

Dentro de ellas, la más utilizada es la colocación de un expansor (véase figura 14.1). La expansión consiste en ensanchar la piel y el tejido celular subcutáneo de la zona torácica mediante un expansor que se va llenando de forma progresiva hasta conseguir el espacio necesario para poder recambiarlo posteriormente por una prótesis mamaria.

Por lo tanto, el primer paso de esta intervención consiste en colocar el expansor que incorpora una válvula a través de la cual se administrará el suero salino que lo irá rellenando. El proceso de llenado del expansor es ambulatorio, prácticamente indoloro y durará entre cuatro y seis meses. Una vez finalizado el mismo, habrá que dejar pasar unas semanas más para que tanto el implante como la piel se asienten. Tras este intervalo de tiempo, se sustituirá el expansor por una prótesis mamaria definitiva.

Por ello, la reconstrucción con implantes ofrece ventajas y limitaciones. Entre las ventajas habría que destacar que no produce nuevas cicatrices, que la intervención quirúrgica es de corta duración y relativamente sencilla y que la recuperación tras la colocación del implante es extremadamente rápida. Por contra, el proceso de reconstrucción requiere un pe-

Cuidados y
recomendaciones

riodo de tiempo más largo, puede ser necesario en un futuro el reemplazo de la prótesis por complicaciones de la misma (desgaste, rotura, encapsulamiento) y no siempre está indicada en las pacientes que han recibido radioterapia.

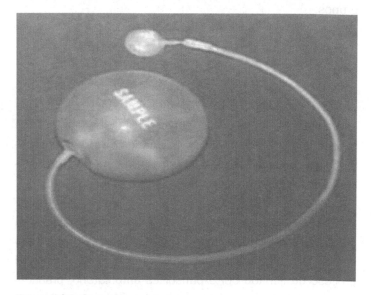

Figura 14.1. Expansor mamario

• Técnicas que utilizan tejidos propios de la paciente

Una manera alternativa para realizar la reconstrucción mamaria es la utilización de tejidos propios procedentes de otras partes del cuerpo, también denominados colgajos. Las dos zonas que se utilizan con más frecuencia son el abdomen y la espalda.

Los dos colgajos más usados proceden del abdomen: el *transverse rectus abdominus myocutaneous* (*TRAM*) y el *deep inferior epigastric perforators* (DIEP). (Véase figura 14.2).

En el TRAM, el colgajo formado de piel, grasa y músculo de la pared del abdomen con su soporte sanguíneo es tunelizado por debajo de la piel hasta el tórax. Por ello, el colgajo se mantiene unido a su sitio de origen y conserva su circulación original, aunque también se puede utilizar como colgajo libro, al igual que el DIEP, que está formado por piel y grasa y se trasplanta al tórax a través de la reconexión de los vasos sanguíneos a otros presentes en la región torácica mediante técnicas microquirúrgicas, por lo que es una cirugía mucho más compleja.

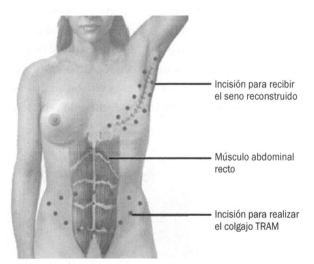

Incisión para recibir el seno reconstruido

Músculo abdominal recto

Incisión para realizar el colgajo TRAM

Figura 14.2. *Colgajo tipo TRAM*

El colgajo más frecuentemente utilizado procedente de la espalda es el del dorsal ancho (véase figura 14.3). Es un colgajo que

Cuidados y recomendaciones

en esencia es similar al TRAM, es decir, el colgajo formado de piel, grasa y músculo de la espalda con su soporte sanguíneo es tunelizado por debajo de la piel hasta el tórax, por lo que también mantiene su circulación original. Habitualmente, este tipo de reconstrucción se combina con el uso de un pequeño implante, que se sitúa por debajo del colgajo. Al contrario de lo que se podría pensar, el empleo de este colgajo no produce prácticamente limitaciones funcionales y la mayoría de las pacientes podrán realizar una vida completamente normal.

En resumen, este tipo de cirugía es más compleja, ya que precisa un mayor tiempo de intervención quirúrgica y una recuperación posoperatoria más lenta que las técnicas que utilizan implantes mamarios. Asimismo, se generan nuevas cicatrices tanto en la mama reconstruida como en el sitio donante. Sin embargo, los resultados suelen ser más naturales y no presentan los inconvenientes mencionados anteriormente para los implantes. Es de destacar que esta cirugía se puede realizar en pacientes que han recibido previamente radioterapia.

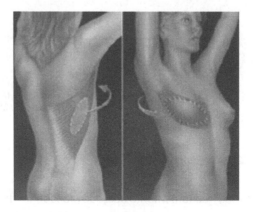

Figura 14.3. Colgajo con músculo dorsal ancho

La reconstrucción del complejo areola-pezón se realiza tras la reconstrucción mamaria. El pezón se reconstruirá si es posible con una parte del pezón de la mama sana, aunque en ocasiones se utiliza un colgajo local. En cuanto a la areola se puede usar un injerto de piel procedente de la región genital/inguinal o realizarla por medio de un tatuaje.

Tratamiento de los síntomas asociados al tratamiento hormonal

Como ya explicamos, el tratamiento hormonal está asociado a múltiples efectos secundarios que impactan en la calidad de vida de las pacientes. Los sofocos y los dolores musculares y articulares son los que claramente destacan por encima del resto.

Los sofocos en una paciente que ha presentado un cáncer de mama pueden estar relacionados con la menopausia inducida por la quimioterapia o bien con el tratamiento hormonal, principalmente con el tamoxifeno (*Nolvadex®*). Los sofocos se manifiestan de forma muy diferente en cada paciente, aunque suelen ser más frecuentes durante la noche. Un mensaje positivo es que la aparición de los sofocos durante el tratamiento con tamoxifeno (*Nolvadex®*) se ha asociado a un mejor pronóstico y parece ser un indicador de que el tratamiento está siendo activo.

Para el manejo de los sofocos existen tanto maniobras farmacológicas como no farmacológicas. Es lógico pensar que en el campo farmacológico lo más efectivo sería utilizar una terapia hormonal sustitutiva. Sin embargo, no es aconsejable usar este tratamiento en una paciente que ha presentado un cáncer de mama y en la actualidad está contraindicado.

Por este motivo, los tratamientos no hormonales son los únicos aceptados en este momento a nivel farmacológico para mejorar los sofocos. Entre ellos se encuentran la gabapentina, los inhibidores de la recaptación de serotonina y la venlafaxina.

La gabapentina es un fármaco comúnmente utilizado en pacientes epilépticos y como ayudante para controlar el dolor. Por otro lado, los inhibidores de la recaptación de serotonina y la venlafaxina son fármacos antidepresivos. Todos ellos han demostrado una reducción significativa de los sofocos en comparación con placebo. El problema de estos agentes es que no están exentos de efectos secundarios y, por ello, se les retiran a muchas pacientes.

Dentro de las maniobras no farmacológicas habría que destacar la acupuntura. Este tratamiento ha demostrado ser tan efectivo como la venlafaxina en el control de los sofocos, evitándose así los efectos secundarios derivados del tratamiento farmacológico. Esta evidencia proviene de artículos publicados en revistas prestigiosas de oncología, por lo que la mayor parte de la comunidad oncológica ha aceptado la acupuntura como un tratamiento válido y seguro en las pacientes con cáncer de mama que presentan sofocos.

Los dolores articulares y musculares suelen estar en relación con los inhibidores de la aromatasa y no existe una recomendación clara acerca de cómo deben abordarse. Asimismo, tampoco se ha establecido una correlación entre ellos y la eficacia del tratamiento con inhibidores de la aromatasa, al contrario de lo que ocurre con los sofocos y el tamoxifeno (*Nolvadex®*).

Lo primero y fundamental en las pacientes que presentan dolores musculares y articulares es descartar otras causas que puedan ser responsables de los mismos, como:

1. Artrosis.

2. Metástasis a nivel del hueso. En la tabla 14.2 se encuentran las diferencias principales entre el dolor óseo de origen metastásico y los dolores óseos secundarios a los inhibidores de la aromatasa.

3. Enfermedades reumatológicas entre las que destacan la artritis reumatoide, la polimialgia reumática y la fibromialgia.

Dolor de origen metastásico	Dolor secundario a inhibidores de la aromatasa
Bien localizado	Migratorio
Constante	Intermitente
Despierta por la noche	No despierta por la noche
No cede con analgesia	Cede con analgesia

Tabla 14.2. Diferencias entre el dolor óseo de origen metastásico y los dolores óseos secundarios a los inhibidores de la aromatasa

Cuidados y recomendaciones

Entre las medidas que se han postulado para ayudar al control de esta sintomatología podemos encontrar:

1. Disminución de peso.

2. Realizar ejercicio físico regularmente. Sería suficiente con caminar durante 30 minutos al día de forma continuada.

3. Practicar natación y actividades acuáticas.

4. Tratamiento farmacológico, basado fundamentalmente en antiinflamatorios como el ibuprofeno, el naproxeno o el diclofenaco.

Ayuda psicológica

El soporte emocional es esencial para las pacientes con cáncer de mama a la hora de afrontar la enfermedad y sus tratamientos.

Es un concepto erróneo que la ayuda psicológica se deba brindar solamente a la paciente. En muchas ocasiones es la familia la que más precisa de un soporte emocional, ya que esta enfermedad supone una situación difícil tanto para la paciente como para los que la rodean durante todo el proceso.

Existen muchas formas de realizar apoyo psicológico al paciente oncológico, entre las que destacan:

1. Entrenamiento en técnicas de relajación.

2. Orientación o terapia de conversación.

3. Sesiones de educación sobre el cáncer.

4. Apoyo social en grupos.

Todos estos tratamientos se pueden combinar entre sí y permiten disminuir la depresión, la ansiedad e incluso síntomas relacionados con la enfermedad o con el tratamiento, a la vez que mejoran la sensación de optimismo, la calidad de vida y el estado anímico.

En cuanto a las personas que rodean al paciente oncológico, también sería de una gran relevancia:

1. Aportar una información realista sobre la enfermedad del paciente, así como del pronóstico de la misma.

2. Asesorar sobre cómo comportarse con un enfermo crónico o grave y entrenar la resolución de problemas específicos del cáncer y de situaciones difíciles que se puedan ir generando.

3. Ejercitar la comunicación eficaz con el paciente tanto a nivel verbal como no verbal.

4. Fomentar la asistencia a sesiones formativas y de asesoramiento.

Dada la importancia del soporte emocional al paciente oncológico, existen unidades específicas de psicooncología en la mayor parte de centros, cuya función es la de proveer las herramientas necesarias para abordar y solucionar los problemas del paciente, y de los que le rodean, desde un punto de vista psicológico.

Cuidados y
recomendaciones

Puntos clave

- A las pacientes que deseen tener hijos se les debe proponer una técnica de preservación de fertilidad antes de iniciar el tratamiento con quimioterapia.

- No hay un momento idóneo ni una técnica de elección estándar para realizar una reconstrucción mamaria. Cada caso se debe valorar de forma individualizada.

- Existen maniobras farmacológicas y no farmacológicas para el tratamiento de los sofocos.

- El apoyo psicológico es fundamental durante todo el proceso tanto para las pacientes como para sus familiares.

15. Detección precoz del cáncer de mama

Como dijimos al principio del libro, la instauración de los programas de cribado o *screening* poblacional han ayudado a reducir la mortalidad por cáncer de mama, gracias a que permiten diagnosticar la enfermedad en estadios más iniciales.

Las recomendaciones actuales de la *U.S Preventive Services Task Force*, sobre el cribado del cáncer de mama son:

1. Realizar una mamografía cada dos años a las mujeres de entre 50 y 74 años.

2. No está bien establecido el beneficio de aplicar el programa de *screening* a mujeres de más de 75 años.

3. No se deben hacer mamografías para el cribado del cáncer de mama a las mujeres de entre 40 y 49 años de edad. Su realización en este grupo de edad deberá valorarse de manera individualizada.

4. La evidencia actual es insuficiente para recomendar la realización de una mamografía en mujeres menores de 40 años.

Estas recomendaciones generaron una importante contro-versia con respecto al grupo de mujeres de entre 40 y 49 años, así como en relación con la frecuencia con la que se debía realizar la mamografía. Por ello, puede ocurrir que es-tas recomendaciones generales se modifiquen en las distin-tas áreas geográficas, siendo la alternativa más frecuente la realización de una mamografía anual a partir de los 40 años.

Por otro lado, varios estudios parecen apoyar la realización alterna de una mamografía y una resonancia magnética ma-maria cada seis meses en las mujeres que tienen una muta-ción identificada en los genes. BRCA1 o BRCA2. En la tabla 15.1 se recoge el algoritmo de seguimiento recomendado para pacientes con una mutación en BRCA1 o BRCA2.

Opción	Edad de inicio	Periodicidad
Exploración clínica mamaria	20 años	Semestral
Mamografía	30 años (o 5 años antes de la edad a la que se ha diagnosticado el caso de cáncer más joven en la familia)	Anual (alternando cada seis meses mamografía y resonancia magnética mamaria).
Resonancia magnética mamaria	30 años (o 5 años antes de la edad a la que se ha diagnosticado el caso de cáncer más joven en la familia)	Anual (alternando cada seis meses mamografía y resonancia magnética mamaria)
CA 125 (seguida de ecografía transvaginal si el marcador está elevado)	30- 35 años	Semestral
Extirpación preventiva de los ovarios	Más de 35 años	
Extirpación preventiva de las mamas	Individualizar	

Tabla 15.1. Algoritmo de seguimiento y prevención recomendado para pacientes con una mutación en BRCA1 o BRCA2

119

Puntos clave

- Los programas de *screening* han disminuido la mortalidad por cáncer de mama.

- Se recomienda realizar una mamografía cada dos años a partir de los 50 años, aunque algunas sociedades científicas aconsejan realizarla de forma anual a partir de los 40 años.

- En mujeres portadoras de una mutación en BRCA1 o BRCA2 se recomienda alternar cada seis meses una mamografía y una resonancia magnética mamaria.

16. Prevención

A excepción de extirpar las dos mamas, no existe ninguna maniobra que evite con total seguridad la aparición de un cáncer de mama en una mujer sana. Sin embargo, existen diferentes opciones farmacológicas que pueden ayudar a reducir el riesgo de desarrollarlo.

En esta sección separaremos a las mujeres sanas que tienen una mutación identificada en BRCA1 o BRCA2 de las que no la tienen, puesto que el manejo es totalmente diferente en ambos grupos de mujeres.

En las mujeres que tienen una mutación en BRCA1 o BRCA2 se puede considerar la posibilidad de realizar una mastectomía profiláctica, es decir, extirpar de forma preventiva las mamas. Asimismo, estas mujeres, dado el riesgo elevado que tienen de desarrollar un cáncer de ovario, también pueden beneficiarse de la extirpación de los mismos, ayudando a reducir todavía más el riesgo de desarrollar un cáncer de mama. En la tabla 15.1 se recoge el algoritmo de prevención recomendado para pacientes con una mutación en BRCA1 o BRCA2.

En las mujeres que no tienen una mutación de estos dos genes, se puede valorar la administración preventiva de tamoxifeno (*Nolvadex®*), raloxifeno (*Evista®*) o exemestano (*Aromasil®*).

El estudio P-1 del *National Surgical Adjuvant Breast and Bowel Project* (NSABP) demostró que el tratamiento con tamoxifeno (*Nolvadex®*) durante cinco años se asociaba a una reducción del 50% en el riesgo de aparición de un cáncer de mama. Este estudio incluyó a mujeres pre y posmenopáusicas con un riesgo elevado de sufrir un cáncer de mama o con diagnóstico de carcinoma lobulillar in situ que, como dijimos anteriormente, es un marcador de riesgo para desarrollar un cáncer de mama.

Otro estudio del NSABP, el P-2 o STAR, demostró que el tratamiento con raloxifeno (*Evista®*) durante cinco años, un fármaco similar al tamoxifeno (*Nolvadex®*), reducía de forma similar a este último el riesgo de aparición de un cáncer de mama, pero presentaba una menor incidencia de efectos secundarios. En este estudio se incluyeron exclusivamente mujeres posmenopáusicas con un riesgo elevado de cáncer de mama o con diagnóstico de carcinoma lobulillar in situ.

Finalmente, los inhibidores de la aromatasa también tienen un papel en la prevención del cáncer de mama. Así, el exemestano (*Aromasil®*) ha demostrado recientemente que es un agente efectivo para reducir la aparición de un cáncer de mama en mujeres posmenopáusicas.

122

A pesar del resultado positivo de estos estudios, el tratamiento preventivo con tamoxifeno (*Nolvadex®*), raloxifeno (*Evista®*) o exemestano (*Aromasil®*) es una opción poco utilizada en la práctica clínica habitual, quizás porque su larga duración y sus efectos secundarios hacen difícil el cumplimiento estricto del tratamiento.

Por último, como dijimos previamente, es importante modificar el estilo de vida y se recomienda realizar ejercicio físico regular, evitar el sobrepeso y la obesidad, tener una alimentación variada y equilibrada y controlar el consumo de bebidas alcohólicas.

Puntos clave

- El tratamiento con tamoxifeno (*Nolvadex®*), raloxifeno (*Evista®*) o exemestano (*Aromasil®*) disminuye el riesgo de desarrollar un cáncer de mama.

- Se recomienda en algunos casos de mujeres portadoras de una mutación en BRCA 1 o BRCA2 realizar con carácter preventivo una mastectomía bilateral y la extirpación de ambos ovarios.

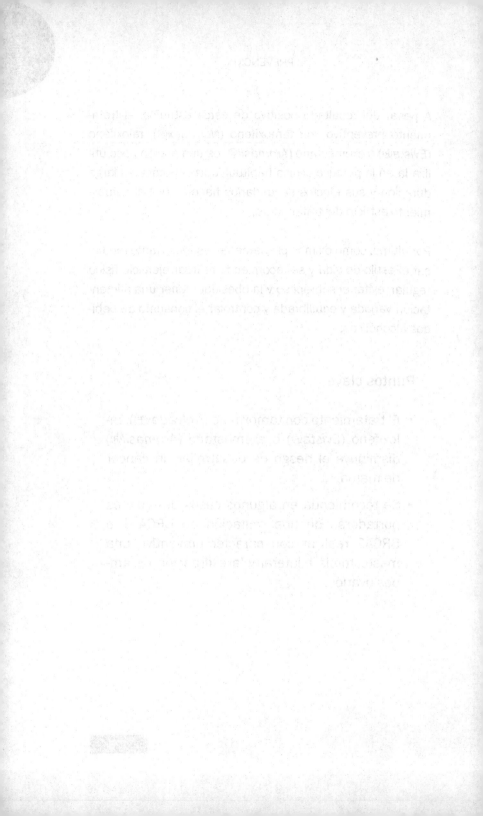

17. El futuro de la enfermedad

El mensaje que a cualquier paciente o médico le gustaría escuchar es que se ha descubierto la curación del cáncer. Sin embargo, nadie puede predecir ni cómo ni cuándo llegará este momento. A pesar de ello, se han generado importantes adelantos en diferentes áreas de esta enfermedad, algunos de los cuales trataremos a continuación:

Tratamiento con quimioterapia complementaria

La quimioterapia es un tratamiento agresivo que puede tener diferentes efectos secundarios. Por ello, hay un gran interés en poder seleccionar mejor a las pacientes que deben recibirla, evitándose así el sobretratamiento y las desventajas que éste conlleva.

El principal avance en este campo consiste en la utilización de plataformas genéticas como *Mammaprint®* y

OncotypeDx®, ya disponibles en la práctica clínica, que nos pueden ayudar a definir con mayor precisión qué pacientes se benefician de tratarse con quimioterapia complementaria.

Nuevas técnicas de radioterapia

Como ya dijimos, la radioterapia suele ser bien tolerada, pero no está exenta de efectos secundarios. Por este motivo, se están desarrollando nuevas técnicas más inocuas y seguras, como son la irradiación exclusiva de una parte de la mama, o la administración de radioterapia durante la misma intervención quirúrgica (radioterapia intraoperatoria).

Medicina personalizada

Consiste en tratar a cada paciente de una forma individualizada. Muchas de las investigaciones que actualmente están en marcha tienen como objetivo estudiar los mecanismos de resistencia a diferentes tratamientos. Si supiéramos con antelación a qué tratamientos es resistente el tumor de una paciente, éstos no se administrarían y se evitaría la aparición de efectos secundarios innecesarios.

Técnicas diagnósticas

El desarrollo de exploraciones complementarias más precisas ha permitido que el diagnóstico se lleve a cabo en etapas

126

más precoces, lo que ha favorecido un descenso en la mortalidad por cáncer de mama. Asimismo, en la actualidad se está buscando la forma de poder detectar con más exactitud qué pacientes presentarán una recaída de la enfermedad, lo que permitiría ser más agresivos en el tratamiento complementario de estas pacientes.

Desarrollo de nuevos tratamientos

El mejor conocimiento de la biología tumoral está permitiendo el desarrollo de nuevos tratamientos, muchos de los cuales ya están ensayándose en estudios clínicos fase I. La mayor parte de ellos actúan contra una determinada alteración molecular, de ahí que se denominen tratamientos dirigidos. La introducción en la práctica clínica de estos tratamientos está permitiendo mejorar el pronóstico de las pacientes con cáncer de mama avanzado.

Puntos clave

- Las investigaciones actuales difícilmente van a descubrir a corto plazo cómo curar el cáncer.

- La medicina personalizada está cada día más cerca de convertirse en una realidad.

- La introducción de nuevos tratamientos aumenta las probabilidades de convertir en enfermedad crónica el cáncer de mama avanzado.

18. Información sobre recursos en internet

El cáncer de mama es una enfermedad compleja que engloba muchos conceptos que son difíciles de entender para la mayor parte de las pacientes y sus familiares. Por este motivo, se plantean muchas preguntas que deberían ser formuladas únicamente al médico responsable de cada paciente. Sin embargo, la realidad es diferente, y las pacientes se ven asesoradas por otras pacientes o bien por recursos en internet de dudosa fiabilidad médica. Todo esto lleva a que no solamente no se solucionen las dudas, sino también a la generación de expectativas que suelen estar sobredimensionadas, o a creencias que son totalmente erróneas.

A continuación describiremos diferentes páginas web con acceso gratuito que, en nuestra opinión, pueden resultar útiles para comprender esta enfermedad y su tratamiento.

www.cancer.gov

Es la página web del Instituto Nacional del Cáncer de los Institutos Nacionales de la Salud de Estados Unidos. Constituye una fuente muy completa, intuitiva y bien estructurada, en la que se recoge información específica sobre el cáncer de mama, así como de otros tipos de tumor. Además, está traducida al español de forma clara y contiene apartados para las pacientes que están adecuadamente separados de la versión dirigida a los profesionales médicos.

Su principal limitación es que está dirigida a las pacientes castellanoparlantes que viven en Estados Unidos y, por tanto, hay determinada información (asociaciones, ayudas, teléfonos de contacto, etcétera) que no puede ser aplicada a pacientes que viven en otras áreas geográficas.

En cuanto al cáncer de mama, se desarrollan los siguientes apartados:

1. Información general sobre el cáncer de mama.

2. Estadios del cáncer de mama.

3. Cáncer de mama inflamatorio.

4. Cáncer de mama recidivante.

5. Aspectos generales de las opciones de tratamiento.

6. Opciones de tratamiento por estadio.

7. Opciones de tratamiento para el cáncer de mama inflamatorio.

8. Opciones de tratamiento para el cáncer de mama triple negativo.

9. Opciones de tratamiento para el cáncer de mama recidivante.

10. Información adicional sobre el cáncer de mama.

www.aecc.es

Es la página web de la Asociación Española contra el Cáncer y representa una página de referencia para la mayor parte de las pacientes. En esencia, es muy similar a la que mencionamos anteriormente, por lo que ambas pueden ser utilizadas indistintamente para obtener información general sobre el cáncer de mama, así como de las diferentes opciones de tratamiento. Dado que se trata de una página que está dirigida a la población española, existe información relevante que nos gustaría mencionar:

1. Teléfono de ayuda (infocáncer).

2. Atención psicológica y social.

3. Alojamiento en pisos y residencias.

4. Voluntariado.

5. Inserción laboral.

6. Atención on-line.

7. Cuidados paliativos.

8. Red social con detalles sobre foros, testimonios de pacientes e incluso encuentros digitales.

Como limitación, destacaríamos que la mayor parte de estos recursos no se pueden tramitar a través de internet, sino que las pacientes se derivan a la Junta Provincial más próxima para obtener información más detallada. Aun así, pensamos que es bueno conocer la existencia de estas ayudas y la manera de poder acceder a ellas.

www.seom.org

Es la página web de la Sociedad Española de Oncología Médica. Dentro de la página hay un apartado de socios y profesionales, pero también encontramos una sección de información al público. Dentro de esta sección se puede acceder a información específica del cáncer de mama y su tratamiento, aunque es menos completa que la que podemos encontrar en www.cancer.gov y www.aecc.es.

Sin embargo, nos parece muy interesante resaltar los siguientes apartados que se encuentran dentro de la sección de información al público:

1. Guía actualizada de los tratamientos, en la que se recogen los diferentes tratamientos oncológicos y sus efectos secundarios, así como información relevante sobre el cuidado de soporte de las pacientes.

2. Diccionario oncológico, con un glosario de términos sobre el cáncer.

3. Enlaces a asociaciones de pacientes.

www.nccn.org

Es la página web del *National Comprehensive Cancer Network* y supone el recurso en internet por excelencia que utilizamos los especialistas en oncología médica. Dentro de ella existen guías para profesionales médicos relativas a cada tipo de cáncer y también podemos encontrar guías específicas para los pacientes.

La guía sobre el cáncer de mama dirigida a las pacientes es excelente, aunque quizás tiene partes algo más difíciles de comprender que la información recogida en las páginas web citadas previamente. Esta guía no está traducida al castellano lo que, a nuestro parecer, constituye su limitación más importante.

www.clinicaltrials.gov

Es una página web del Instituto de Salud de Estados Unidos que incluye todos los ensayos clínicos que se encuentran en marcha de cualquier especialidad médica, no solamente en Estados Unidos, sino en cualquier país del mundo. Dentro de cada ensayo clínico se incluyen:

1. Objetivos del estudio.

2. Quién puede participar.

3. Los centros médicos donde el ensayo clínico está en marcha.

4. Teléfonos de contacto.

Esta página web tampoco está traducida al castellano y a diferencia de las anteriores la información es mucho más compleja y difícil de entender, por lo que aconsejamos que sea una página exclusivamente de consulta inicial y que, posteriormente, sea el médico de referencia el que pueda terminar de explicar a la paciente si se trata de un ensayo clínico interesante y recomendable para ella.

Puntos clave

- El cáncer de mama es una enfermedad compleja y las dudas que se generan entre las pacientes deben ser resueltas por un médico especialista.

- Los recursos en internet sobre el cáncer de mama son ilimitados y en la mayoría de las ocasiones de dudosa fiabilidad médica.

- Existen diferentes páginas web muy recomendables para pacientes afectas de un cáncer de mama y con acceso fácil y gratuito.

19. Preguntas y respuestas

¿A qué edad se recomienda comenzar a revisarse las mamas y cada cuánto tiempo?

No existe ninguna recomendación absoluta. Algunas guías aconsejan que las mujeres se hagan una mamografía cada dos años a partir de los 50 años. Por el contrario, otras sociedades científicas proponen la realización de una mamografía anual a partir de los 40 años.

¿Podré quedarme embarazada tras haber padecido un cáncer de mama?

En principio no existe una contraindicación formal para quedarse embarazada tras haber tenido un cáncer de mama, ya que hay estudios que han demostrado que quedarse embarazada tras superar un cáncer de mama no empeora el pronóstico. A pesar de esto, solemos recomendar a las pacientes no quedarse embarazadas hasta haber pasado al menos dos años de controles y, en el caso de las mujeres que se encuentran en tratamiento con tamoxifeno (*Nolvadex®*), se les aconseja finalizarlo antes de quedarse embarazadas.

¿Cuáles son los síntomas de alarma principales de un cáncer de mama?

El principal síntoma de alarma es la palpación de un "bulto" en la mama, aunque esto no quiere decir que todos los "bultos" señalen la presencia de un cáncer de mama. Otros síntomas de alarma serían la palpación de un ganglio en la axila, la secreción por el pezón o la retracción del pezón o de la piel de la mama. El dolor mamario es un síntoma poco frecuente de cáncer de mama, aunque es motivo de intranquilidad en muchas mujeres.

¿Es la resonancia magnética mamaria la mejor prueba de imagen para diagnosticar el cáncer de mama?

La respuesta a esta pregunta es rotundamente no. La resonancia magnética mamaria se utiliza de forma complementaria a la mamografía para valorar la presencia de otros tumores en la misma mama, o descartar afectación de la otra mama. Sin embargo, siempre hay que hacer la mamografía, puesto que hay hallazgos, como las microcalcificaciones, que no son evidenciables mediante resonancia magnética.

¿Son los marcadores tumorales el mejor indicador para detectar la recurrencia de un cáncer de mama?

La importancia de los marcadores tumorales está sobredimensionada por la mayor parte de las pacientes. Así, la elevación de un marcador tumoral no siempre se asocia a un cáncer, y el hecho de que no estén elevados tampoco descarta totalmente que una paciente tenga una recurrencia Por este motivo, las guías no recomiendan en la actualidad su determinación de manera rutinaria.

Tras haber tenido un cáncer de mama, ¿es recomendable realizarse una extirpación preventiva de la otra mama?

Una mujer que ha padecido un cáncer de mama tiene un riesgo bajo a lo largo de su vida de presentar un nuevo cáncer en la otra mama. Por este motivo, no se suele realizar de forma habitual la extirpación preventiva de la mama sana. Esta maniobra suele quedar reservada a pacientes a las que se les ha identificado una mutación en BRCA1 o BRCA2, en las que el riesgo de presentar un segundo tumor es mucho mayor.

He tenido un cáncer de mama, ¿tiene mi hija más riesgo de poder desarrollarlo?

La mayor parte de cánceres de mama son esporádicos, lo que quiere decir que no hay un riesgo de asociación familiar y, por tanto, los familiares de la paciente tienen una probabilidad de desarrollar un cáncer de mama más o menos similar a la de otra mujer de la población general de la misma edad y que no tenga antecedentes familiares de cáncer de mama. Sin embargo, en el caso de que la paciente tuviera una mutación en BRCA1 o BRCA2 y una familiar sana también la tuviera, esta familiar sí tendría mucho más riesgo de poder desarrollarlo que una mujer de la población general.

¿Se debe realizar siempre radioterapia después de una cirugía conservadora del tumor?

Se debe realizar siempre, ya que de lo contrario el riesgo de recidiva a nivel de la mama es muy alto. Solamente se podría omitir en las pacientes de edad avanzada con tumores pequeños hormonosensibles.

No tolero el tratamiento hormonal, ¿compensan sus efectos secundarios el beneficio del mismo?

Generalmente sí. El tratamiento hormonal se asocia a una reducción en la recurrencia de un cáncer de mama de hasta un 50%, con un importante beneficio en la supervivencia. Por ello, los oncólogos médicos insistimos a las pacientes en su correcto y estricto cumplimiento.

¿Existe riesgo de malignización de un fibroadenoma o un quiste mamario?

No hay riesgo de malignización. Lo que en ocasiones ocurre es que en la misma mama donde se encontraba localizado el quiste o el fibroadenoma se puede desarrollar un cáncer de mama. Otras veces, puede existir un error en el diagnóstico, y una lesión se considera que es un fibroadenoma o un quiste cuando realmente no lo es.

¿Es el estrés un factor de riesgo para desarrollar un cáncer de mama?

A día de hoy, no existe ninguna evidencia científica que considere el estrés o el estado anímico como un factor de riesgo para desarrollar un cáncer de mama.

¿Incrementan los anticonceptivos orales el riesgo de desarrollar un cáncer de mama?

Hay mucha controversia en cuanto a esta asociación, aunque actualmente la mayor parte de estudios concluyen que los anticonceptivos orales se asocian a un aumento poco importante del riesgo de desarrollar un cáncer de mama.

El tratamiento hormonal me provoca importantes sofocos, ¿existe algún tratamiento efectivo para mejorarlos?

Existen tratamientos farmacológicos y no farmacológicos que pueden ayudar a mejorar los sofocos. De entre los farmacológicos destacamos la gabapentina y la venlafaxina. De los no farmacológicos, el más efectivo parece ser la acupuntura. El tratamiento hormonal sustitutivo, aunque es muy eficaz, está totalmente contraindicado para las pacientes con cáncer de mama.

Preguntas y respuestas

¿Existe alguna quimioterapia para el tratamiento complementario del cáncer de mama que no provoque alopecia?

En la actualidad las dos quimioterapias más efectivas contra el cáncer de mama son las antraciclinas y los taxanos. Ambas se administran por vía endovenosa y producen la caída total del cabello, aunque es importante remarcar que, una vez finalizado el tratamiento, el cabello vuelve a salir completamente. Otros fármacos de quimioterapia, que no suelen producir caída del pelo, son menos eficaces.

¿Están indicados los tratamientos dirigidos o "a la carta" en el tratamiento complementario del cáncer de mama?

A día de hoy, con la excepción de los tratamientos contra HER2, no tienen ninguna utilidad en la práctica clínica habitual y quedan reservados exclusivamente a pacientes con cáncer de mama avanzado en las que los tratamientos convencionales han dejado de ser efectivos. Además, solamente se administran en centros de referencia.

¿Existe el cáncer de mama en el varón?

El cáncer de mama en el varón existe aunque es muy poco frecuente, representando menos del 1% del total de casos de cáncer de mama diagnosticados. Asimismo, se asocia con mayor frecuencia a una mutación en BRCA2.

¿Qué riesgo tiene el tamoxifeno (Nolvadex®) de producir un cáncer de útero?

El riesgo es muy bajo. Así, en mujeres menores de 50 años no se ha observado que el tamoxifeno (*Nolvadex®*) incremente el riesgo de producir un cáncer de útero. Sin embargo, en mujeres mayores de 50 años, el riesgo de desarrollar un cáncer de útero pasa de 1 por cada 1.000 mujeres a 3 por cada 1.000 mujeres que han recibido tamoxifeno (*Nolvadex®*). La mayoría de estos casos se diagnostican en etapas iniciales y por este motivo la tasa de curación es muy alta.

¿Son seguras las técnicas de preservación de la fertilidad que implican una estimulación ovárica?

Sí, son seguras desde un punto de vista oncológico, ya que hay protocolos de estimulación hormonal en los que los niveles hormonales que se alcanzan son incluso más bajos que durante una menstruación normal. Asimismo, también existe la posibilidad de la técnica de extracción de cuña de tejido ovárico, en la que no hay necesidad de realizar estimulación ovárica.

¿Cuál es la mejor técnica de reconstrucción mamaria y el momento más adecuado para realizársela?

No existe ni una mejor técnica ni un mejor momento para realizarse la reconstrucción mamaria. Es muy importante la interacción entre cirujano reconstructor, oncólogo médico y oncólogo radioterapeuta para fijar el momento y la técnica más adecuada en cada caso particular.

Preguntas
y respuestas

141

¿Se produce siempre linfedema tras una linfadenectomía axilar?

No, aunque hasta un 25% de las pacientes lo desarrollan con el tiempo. Sin embargo, en la mayor parte de las ocasiones es de leve intensidad y permite desempeñar con normalidad las actividades de la vida diaria. Asimismo, hay un pequeño porcentaje de pacientes a las que se le practica biopsia selectiva del ganglio centinela que también lo desarrollan.

Me acaban de operar de un cáncer de mama, ¿existe alguna forma de saber con seguridad si tengo que realizar quimioterapia complementaria?

No existe ninguna forma de saber con total seguridad si la quimioterapia complementaria es necesaria o no. Para determinarlo, utilizamos factores pronósticos bien establecidos que nos ayudan a tomar la decisión. Además, se están empezando a usar plataformas genéticas, como *Mammaprint*® y *OncotypeDx*®, que pueden también ser útiles salir de dudas.

¿Tiene mal pronóstico un cáncer de mama triple negativo?

Se denomina cáncer de mama triple negativo a aquél que no expresa receptores hormonales ni HER2. Suele afectar habitualmente a mujeres jóvenes y presenta un comportamiento agresivo. Afortunadamente, las pacientes responden muy bien al tratamiento con quimioterapia.

¿Es necesaria la cirugía del tumor mamamrio si éste ha desaparecido tras el tratamiento preoperativo?

El tratamiento preoperativo del cáncer de mama va acompañado siempre de cirugía, incluso cuando el tumor ha desaparecido completamente tras el tratamiento preoperatorio. El motivo es la alta probabilidad de que persistan focos microscopicos que solamente se pueden detectar mediante la extirpación de la mama afectada.